HADİS OKUMALARI - I

İlim Şehri

METİN KARABAŞOĞLU

Sertifika no: 17313

İZ YAYINCILIK: 916
(karakalem kitaplığı)
düşünce dizisi: 114
ISBN: 978-605-326-131-5
1. baskı, 2004
10. baskı, İstanbul, 2019

Litros Yolu, Fatih Sanayi Sitesi 12/280, Topkapı-İstanbul
telefon: (212) 5207210 • faks: (212) 5115791
www.iz.com.tr • bilgi@iz.com.tr

kapak: Hamdi Akyol

Basıldığı yer: Alemdar Ofset Matbaacılık Davutpaşa Caddesi
Besler İş Merkezi No: 20/29 Topkapı/İstanbul (Sertifika no: 22953)

METİN KARABAŞOĞLU

İlim Şehri

HADİS OKUMALARI - I

İZ YAYINCILIK

METİN KARABAŞOĞLU, 1964 yılında İzmir'in Tire ilçesinde doğdu. İlk, orta ve lise öğrenimini burada gördükten sonra İÜ Siyasal Bilgiler Fakültesini bitirdi. Okul yıllarında yazmaya başladığı *Köprü* dergisinin bir süre yayın yönetmenliğini de yaptı. İz Yayıncılık'ın kuruluşunda yaklaşık 5 yıl editörlüğünü üstlendi. Muhtelif yayınevlerinde yayın yönetiminde bulundu. Muhtelif radyo ve TV'lerde programlar yaptı. Karakalem Yayınlarını kurdu, *Karakalem* dergisinin yayın yönetmenliğini yürüttü, Karakalem Seminerlerini başlattı. Çok sayıda kitabın tercüme, edisyon ve redaksiyonunda imzası olduğu gibi, bir dizi ismin yayın dünyasına kazandırılmasına da katkıda bulundu. Evli ve 3 çocuk babasıdır.

bilgi ve iletişim için:
website: www.karakalem.net
e-mail: metinkarabasoglu@yahoo.com
twitter: https://twitter.com/mkarabasoglu
facebook: https://www.facebook.com/MetinKarabasoglu1

Yayınlanmış Eserleri:
• *Kur'ân Okumaları (5 kitap)* • *Hadis Okumaları (2 kitap)* • *Risale Okumaları (5 kitap)* • *Peygamberin Bir Günü* • *Sizin Yıldızınız Kim?* • *Peygamberin Kardeşleri* • *Küçük Şeyler* • *Oyuncak Tamirhanesi* • *Said'leri Ararken* • *Tehlikeli Denemeler* • *Gece Yürüyüşü* • *Düşünceler* • *Gölgeler ve Işıklar* • *Bilimin Öteki Yüzü (S. Demirci ve Y. Mermer ile birlikte)* • *Melekleri Ürkütmeden* • *Medeniyetin Arka Sokakları (ilk baskılar: Camide Dans Var başlığıyla)* • *Ruh Bakımı* • *Kertenkele Çukuru* • *Mucize Avcısı* • *Geldim, Gördüm, Sordum (ilk baskılar: O'na Doğru başlığıyla)*

İçindekiler

İkinci Bölüm

Yaşadığımız günlere dair

Üçüncü Bölüm

Ümide çağrı

Dördüncü Bölüm

İncelikler, nüanslar

Ek

Peygamber sözleri
nasıl okunmalı?

İlim Şehri için birkaç söz

İLKOKUL YILLARI. 1960'LI SENELER. İlk hocam, sevgili babacığım her ay imamlık maaşını almaya gittiğinde eve dönüşünde bir kitapla içeri girerdi. O ay da, elkitabı tarzında ciltli üç kitap getirdi.

Hiç unutmuyorum, biri kırmızı, diğeri koyu yeşil, öteki de siyahtı. Hasan Basri Çantay'ın "On Kere Kırk Hadis" kitaplarıydı bunlar. Sayfa sayısı kabarık da olsa, küçük boy ebadında ve yazıları da iri puntolu olduğu için günlerce elimden düşmedi kitaplar.

Hadisler öyle uzun metinler değildi. Kısa, öz, kolay anlaşılır, hayatın içinden, günlük yaşantıyı yansıtan, özenle seçilmiş, tercüme edilmiş, hakkında yeterli açıklamalar yapılmış hadisler içeren sevimli bir çalışmaydı. Çantay rahmetli, gerçekten 'âlim-i mürşid' olduğu için, ilmini, süt gibi içimi kolay, sindirimi rahat biçimde veriyordu.

Aradan kırk yıl geçtikten sonra babamın izniyle bu kitaplar mütevazı kütüphanemi süslemeye başladı. Geçen sene baştan sona çocukluktan kalma tatlı bir heyecan içinde tekrar okudum; ve ömrüm oldukça bu kitapları elimden düşürmeyeceğim anlaşılıyor.

Efendimiz (a.s.m.) hayatımıza o kadar girmiş, hayatı o kadar güzelleştirmiş, berraklaştırmış, aydınlatmış ve anlamlı hale getirmiş ki, bunu, hadislerin o eşsiz bahçesine girince anlıyorsunuz. Hele çocukluk yıllarından itibaren böyle müstesna bir tadı damağınız hissetmişse, artık onsuz yaşamak size anlamsız geliyor.

Daha sonra, Metin Bey kardeşimle aynı mesaiyi paylaştığımız 80'li yılların ortalarından itibaren gazetede dinî yazılar yazmaya ve gelen sorulara cevap aramaya başladığımız günlerde hadislere olan ihtiyacımız o kadar arttı ki, kurumun dar bütçesinden tahsisat talep ederek kitapçıların yolunu tuttuk.

Kitapçı raflarında hadis kitaplarını gördükçe hemen indirtiyor, sırtlayarak götürüyor, kendi kütüphanemizi süslüyorduk. O yıllarda Sünen-i Tirmizî ve Ahmed bin Hanbel'in *Müsned*'i gibi kitapların hacimli şerhleri de gelmişti. Onları da görür görmez sahiplenmiştik. Yine o yıllarda 7 büyük boy ciltlik *Concordance* gibi hadis arama ve bulma kılavuzu da yayınlanmıştı ki, artık keyfimize diyecek yoktu. Hadisin bir kelimesini hatırlayınca birkaç dakika içinde hadisin kendisine ulaşıyorduk ve zevkle yazımızı zenginleştiriyorduk.

Bir tevafuk eseri olacak ki, yine bu dönemde bir ekip halinde Kütüb-i Sitte başta olmak üzere elimizde mevcut bütün hadis kitaplarını tarayarak metniyle birlikte bin sayfalık bir hadis kitabı hazırlamıştık. Bu vesile ile de binlerce hadisle buluşma, tanışma ve kaynaşma gibi bir nimete kavuşmuştuk.

Ama hadis açlığım hiç dinmedi. *Müsned*'in hâmişinde *Kenzü'l-Ummâl*'den seçme hadisler yer alıyordu. Kısa, özlü ve hayatın içinde hadislerdi. Ama kitabın kendisini merak ediyordum. "Nasıl ulaşabilirim, ne şekilde elde edebilirim?" diye yıllarca hasretini çektim. Sonunda mâşukuna kavuşan bir 'âşık' gibi muradıma erdim. Birkaç sene önce bir kitap fuarında

Arapça dinî eserler standına varınca *Kenzü'l-Ummâl*'in geriden beni kendisine doğru çektiğini gördüm. Cüzdanımı boşaltarak 18 ciltlik "İşçilerin Hazinesi"ne kavuşmuş oldum, elhamdülillah.

Meğer ne hazineymiş yâ Rabbi! Her biri altı yüz küsur sayfalık kitabı özellikle geceleri içerek ve kalbimin içine dökerek okumaya başladım. Bir de son iki cildinin bütün hadislerin alfabetik indeksi olduğunu farkedince, bunun benim gibi 'zaman fukarası' bir gariban için büyük bir kolaylık sağladığını anladım. Ondan sonraki günlerde, uzun süre birkaç sayfa okumadan uykum gelmez oldu.

Yeni öğrendiğim hadisleri de ertesi gün radyodaki programıma taşıyor, dinleyicilerimle paylaşıyordum. İmam Tirmizî'nin kitabının başına yazdığı gibi, artık bizim evde ve bizim radyoda 'Konuşan bir Peygamber (a.s.m.)' vardı. O konuştukça hiç kimseye bir söz kalmıyordu. Çünkü sözün en güzelini, en mükemmelini, en canlısını, en tatlısını, en kalıcı olanını, en eskimeyenini o söylüyordu. Dinleyenlerin de hemen kanlarına karışıyor, ruhlarına işliyor, gönüllerini açıyor, bir âb-ı hayat çeşmesi gibi hayatlarına hayat katıyordu.

Aradan aylar yıllar geçti. Başta Kelâm-ı Kadîm ve onun bir manevî mucizesi, asrımıza da bir söylemi olan Risale-i Nur olmak üzere, okuduğu kitaplardan elde ettiği istifade notlarını samimi bir eda ile kaleme alan Metin kardeşimin *Kur'ân Okumaları* ve *Risale Okumaları* kısa aralıklarla bir seri halinde elimize kadar ulaştı. Kitapları aile boyu, sırasıyla okumaya koyulduk. Kitaplar, o zamana kadar nazar-ı dikkatimize ilişmemiş olan orijinal nükteleri, noktaları ve notları içeriyordu. Üstadın dediği gibi, 'nev'im adına' iftihar ettim, sevinç duydum, hamd ettim.

Benim düşünemediklerimi ve yazamadıklarımı can dostlarımın ve Nur kardeşlerimin yazdıklarını görünce 'kardeşlerimin meziyetlerini şahsımda, faziletlerini kendimde tasavvur etme ve onların şerefiyle şâkirâne iftihar etme' duygusunu yaşadım.

Bu yazıyı yazmadan on gün önce de, nezaket, saygı ve edep bütünlüğü içinde bir telefon aldım. Ses Metin Karabaşoğlu kardeşimindi. "Hadis Okumaları" mahiyetinde bir çalışma yaptığını söylüyor ve bu kitap için bir takdim yazmamı rica ediyordu. O günlerde de benim yurtdışı programlarım vardı, hem de konu bir yerde haddimin üzerinde bir teklifti. Ben kim, bir hadis çalışmasına takdim yazmak kim?

Dedim, "Bu da bir tevafuktur." Emri, Ravza'nın sahibinden almış gibi kabul ettim. Kitabın yarısını uçakta, geri kalanını da dönüşte okudum.

Sevgili yazar, yine bam telini bulmuş, kalp ritmini yakalamış, hayatın içindeki hadisleri gündeme taşıyordu. Yine bir keşifte bulunmuştu. Yeni bir 'buluş'a imza atıyordu. Benim aklıma, âcizâne, sadece "Rabbim devamını getirsin" demekten başka birşey gelmedi.

'Medine Güzelini' tanıttırdığın ve bizlere tattırdığın gibi, o 'Canlar Canı' da seni tatlandırsın, benim 'âlim' ve ümmeti 'irşad'a devam eden kardeşim...

MEHMED PAKSU
5 Haziran 2004

Önsöz

ÖYLE ZAMAN OLUR Kİ, bir söz söyler, bir iş işler, bir adım atar; sonra da unutursunuz. Size göre küçük bir söz, iş veya adımdır çünkü. Ama aradan yıllar geçer, unuttuğunuz o küçük adım gitgide büyüyen sonuçlarıyla karşınıza çıkar, şaşırırsınız. Gerçekte küçük diye birşey olmadığının; küçük bir teşvik sözünün, ufacık bir yardımın, hatta bir gülümsemenin bile günü geldiğinde büyük sonuçların önsözü olabildiğinin delilidir bu yaşadığınız...

Benim açımdan, *Hadis Okumaları*'na kadar gelen ve devamınının "Asr-ı Saadet Üzerine Okumalar," "Peygamberin Bir Günü," "Peygamberin Günleri," "Peygamberin Sözleri," hatta belki de bir siyer çalışması şeklinde geleceğini umduğum süreç, işte o türden 'küçük' bir yardım ve katkıyla başladı.

Sene 1988 idi. Henüz yirmibeşinde bile değildik. O günlerin aylık *Köprü* dergisinde hasbelkader üstlenmiş olduğumuz editörlüğün yanısıra, derginin kapak yazılarını yazma görevi de omuzlarımızdaydı.

O yılın Mart sayısı için, yine bir Mart ayında şu dünyadan göçüp gitmiş ama vefatından sonra doğan nice insanın hayatını aydınlatacak bir eseri ve bir yaşama biçimini yadigâr bırakmış bir insanın tefekkürünü derginin kapağına taşımıştık: "Bir Kâinat Yolcusu: Said Nursî."

O Mart ayı, akıl ve ruh iklimimde yeni bir kapak konusu daha belirmeye başladı. Tefekkürünü dergimizin kapağına taşıdığımız bu kâinat yolcusu, yolculuğunu 'Kur'ân'ın dersi ve Resûl-i Ekrem'in (a.s.m.) talimiyle' gerçekleştirdiğini defaatle söylüyordu eserlerinde. O halde, bu yolda ona kılavuzluk etmiş olan Hz. Peygamberin tefekkürünü de bir kapak konusu olarak dergiye taşımak bir gönül borcu değil miydi? Kapak konusu için başlığı bile düşünmüştüm: "Peygamberin Bir Günü."

Gelin görün ki, işin bu tarafında ciddi bir boşluk görmüştüm kendi namıma. Bu konuda bilgim de yoktu, bu konuya girme cesaretim de... Yapabilir miydim? Altından kalkabilir miydim?

Çalıştığımız yayın kuruluşunda, bize ayrılan odadan çıkıp sevgili ağabeyim Mehmed Paksu'nun kapısını tıklatırken, zihnimde bu sorular uçuşuyordu. Düşüncemi ona açıp, kendi araştırmaları esnasında bu konuda bir bilgiye rastlarsa bana iletmesini rica ettim. Ve yalnızca birkaç gün sonra, onu elinde bir not kağıdı ve gülümseyen bir yüzle odamızda gördüm. Bana uzattığı kağıtta, onun elyazısıyla, kaynağı da belirtilmiş surette, iki hadis vardı. Bu iki hadis, âdeta bana 'doğru iz üzeresin' diyordu. 'Bu iş olabilir; yola devam et!'

O gün bugündür, bu iki hadisi unutmadım...

O günden sonraki onbeş yılım, bir kısmını dört defa, beş defa okuduğum hadis kitapları; ve okumaya hâlâ doyamadığım hadis külliyatları arasında geçmişse, bu, o gün bana uzatılan o iki hadis sayesindedir.

Bu onbeş yıl boyu, 'ona dair' okuduğum her bir kitap bana bir 'kapak konusu'ndan daha fazlasını kazandıracak; 'peygamberin bir günü' için başlayan yolculuk, 'peygamberin her günü'ne ve 'her sözü'ne erişebilme iştiyakını içimde uyandıracaktı.

Ki bu sözler arasında, onun Veda Haccı esnasında söylediği, "Bu söylediklerimi duyanlar, duymayanlara ulaştırsınlar. Bazan söz kendisine ulaştırılan kimse, ulaştırılan sözü, bizzat dinleyenden daha iyi beller"[1] hadisi de vardı.

Bu nebevî ikazı gördükten sonra, hadis okumalarımı yazmadan edemezdim...

Maamafih, bir açıdan, bu kitabın 'geç gelmiş bir kitap' olduğunu da düşünüyorum.

Gönül isterdi ki, şimdiye dek yazdığımız üç *Kur'ân Okumaları* ve üç *Risale Okumaları* arasında üç 'hadis okumaları' kitabı çoktan yerini almış olsun. Ama olmadı. Bunda da bir hikmet olduğunu düşünüyorum.

Ezberinde kırk hadis tutmaya dair bir nebevî teşvike binaen, herkesçe okunabilir bir 'kırk hadis' yazmak geçmişte âlimler arasında bir itiyad olmuş. Ve, hepsi değilse de, birçoğu bu 'kırk hadis' seçkisini kırk yaşında yazmışlar. Âlim biri değilim; ama olmak isterdim. Her hâlükârda hadis okumaları üzerine 'kırk yazı'dan müteşekkil *İlim Şehri*'ni kırk yaşında yazmayı bana nasip eden Rabbime hamd ediyorum.

Hepimizin, o kudsî nebînin aydınlık hayatından esintileri içinde yaşadığımız zamana da taşıyan peygamber sözleriyle aydınlanmış hayatlar yaşamamız duasıyla...

METİN KARABAŞOĞLU
İstanbul, 15 Haziran 2004

Teşekkür

BİZE BİR HİDAYET REHBERİ olarak kudsî nebî Muhammed-i Arabî aleyhissalâtu vesselamı gönderen Rabb-ı Rahîm'imize sonsuz hamd;

O'nun kudsî elçisine sonsuz salât u selam;

O kudsî nebînin sözlerini bindört yüzyıl sonra da bizim için ulaşılabilir kılan bütün ravilere ve muhaddislere milyon kere milyonlarca şükran;

O kudsî nebîyi ve sözlerini bize tanıtıp sevdiren herkese gönül dolusu teşekkür ile...

Birinci Bölüm

Hayatın tam ortasında

İmanın asgarî şartı

KAÇ YAŞINDAYDIM, BİLMİYORUM. Ya altı, ya yedi, ya dokuz. Yaz mevsimiydi. Evimizin az ötesindeki Kestaneli Cami'ye Cuma namazına gitmiştim. O hadisi ilk kez o gün duydum. İmanın yetmiş küsur şube olduğunu buyuran Peygamber Efendimiz (a.s.m.), 'yolda bulunan rahatsız edici birşeyi kenara koymayı' da imanın şubeleri arasında sayıyordu.[2] Aynı hutbede dinlediğim bir başka hadisinde ise, "Rahatsız edici birşeyi yoldan kaldırıp atman sadakadır"[3] buyuruyordu.

Caminin yaşlı imamının bu hadislerin hikmetini açıklama bâbında, yoldan geçen bir âmânın veya bir ihtiyarın o taşı görmeyip düşmesi ihtimalinden söz ettiğini hatırlıyorum.

Rahatsız edici birşeyi yoldan kaldırıp atmak...

Bu konuda iki hadisin olduğunu duyduğum gün, hayatımın dönüm noktası olduğunu uzun yıllar sonra farkedeceğim bir gün olmuştu benim için.

O günden sonra, yolda insanları rahatsız edici bir taş veya bir dal parçası bulmuşsam onu kaldırmak âdetim oldu. Yaşadığımız mahalle, bulunduğumuz şehrin henüz kâinattan kopuk olmayan kısmındaydı ve yolun iki tarafından yola doğru eğilmiş böğürtlenler ya da çalılar zaman zaman yoldan geçenlere eziyet verebiliyordu. 'O ayağa takılır, bu göze dokunur' düşüncesiyle, onların yola sarkan dallarını gördükçe kenara doğru eğmeye başlamıştım. Yola portakal, mandalina veya muz kabuğu atmamak da, o günden sonra bir hayat şiarımdı. Birilerince atılmış kabukları görünce de, bana ne deyip geçemez hale gelmiştim. Ya biri basıp kayarsa? Ya yaşlı bir teyze veya âmâ bir genç görmeyip basar da eli ayağı kırılırsa? Durup ayakkabımın tersiyle onları insanların basmayacağı bir köşeye sürükler olmuştum artık. Ayrıca, eza verici birşey olarak yola tükürmemek de itiyadım olmuştu, tükürenlere üzülmek ve hatta kızmak da.

Yıllar böylece geçti.

Bu hadisler önce çocukluğum, sonra gençliğim boyunca, önce yollardaki halimi, sonra yollar dışındaki halimi dönüştürdü, değiştirdi ve geliştirdi.

Çocuk aklımla, hadisin rahatsız edici birşeyi kaldırıp atmayı 'imanın bir şubesi' sayıyor olduğuna dikkat edememiştim gerçi. Hadisten aklımda kalan, rahatsız edici birşeyi kenara koymanın 'iyi' bir davranış olduğuydu. Peygamberimizin böyle yaptığı, böyle yapılmasını tavsiye de ettiğiydi. Çocuk aklımın, bu davranışla 'imanın şubeleri' arasındaki ilişkiyi kavrayıp açıklaması da herhalde beklenemezdi.

Sıkıntı verici birşeyi yoldan kaldırıp atmanın neden 'imanın şubesi' olduğunu anlamak için ise, çocukluğumun yanısıra, ilkgençlik yıllarını da aşmam gerekti. Hayatım otuzlu yıllara doğru yol aldığında, o güne dek edindiğim birebir gözlemler, kitaplarda okuduklarım, özellikle de Asr-ı Saadet okumalarımdan hâsıl olan iman-küfür muvazeneleri biraraya toplandığında, iyi bir davranış olan 'rahatsız edici birşeyi kaldırıp atma'nın imanla doğrudan ilgisini kurabilir hale gelmiştim.

Fakat, tersinden hareketle kurulan bir rabıtaydı bu.

Görmüştüm ki, kâfir olmak değilse bile küfürde kalmak, yani küfürde ısrar etmek, gerçekte kişinin kendinden geçememesi ile ilgiliydi. Bu kendinden geçememe hali, ya kendini kusurdan münezzeh bilip nefsini putlaştırması sonucu, yahut kendini kusurlu bildiği halde heva ve hevesini ilahlaştırması sonucu gerçekleşiyordu. Kimileri kendini putlaştırdığı için küfürde kalıyordu; kimileri hevasını, zevkini ve keyfini putlaştırdığı için. Birçok kişi, kendinden geçemediği için imana gelemiyordu. Öyle ki, iman yolunun mâkuliyetini bildikleri halde gelemeyenler vardı.

Elbette, el'an ehl-i küfür hanesinde yer alan herkes için aynı şeyi söylemek mümkün değildi. Bu, 'kâfir olanlar'dan ziyade 'kâfir kalanlar' için geçerliydi. Yoksa, hakkı ararken başına dalâlet düşen, bâtılı hak zannıyla koynunda saklayan, ama gerçekte bâtıl olmakla birlikte kendisinin hak zannettiği o yol uğruna kendinden geçebilen insanlar da vardı. Onların, kendilerinden geçebildikleri için, günün birinde iman yoluna girmeleri kuvvetle muhtemeldi.

Asr-ı Saadetten iki Amr'ın, Ebu Cehil ile Ömer'in durumu bunun bir örneğiydi. İslâm'ın ilk yıllarında İslâm'a düşmanlıkta atbaşı giden bu iki isimden ilki 'bildiği halde inanmadığı'nı ifade etmekten çekinmemiş; ikincisi ise 'bildiği anda' saf değiştirip iman edenler hanesine geçmişti.

Neden?

Çünkü, Ebu Cehil kendi nefsi adına küfürde iken, Ömer kendi nefsinden geçerek küfürde idi. Ömer hak bildiği küfür yolunda kendinden geçebilmiş, o yüzden, hakkı hakikaten gördüğünde hak bildiği bâtıl davasından hemen vazgeçebilmişti.

Yine Asr-ı Saadetten, yaptıkları iyiliklerle meşhur iki insan tablosu da bu açıdan manidardı. İnsanlara yedirmesi, içirmesi, köleleri azad etmesi, darda kalanın yardımına yetişmesi Abdullah b. Cüd'an'ı mü'min yapmamıştı. Oysa, aynı davranışları sergileyen Hakîm b. Hizam, Mekke'nin fethine ramak kala Müslüman olduğunda, geçmişte yaptığı iyiliklerin bir mükafatının olup olmayacağını sorduğunda, Hz. Peygamber'den şu cevabı alacaktı: "Sen zaten daha önce yaptığın bu iyiliklerin hayrına Müslüman olmuşsun."[4]

Ama aynı iyilikler Abdullah b. Cüd'an'ı Müslüman yapmamıştı. Zira, bir diğer hadisin bildirdiğine göre, o, bütün bunları 'desinler' diye yapmıştı. Yani, 'kendinden geçerek' değil, 'kendisi için;' 'nefsinden feragatla' değil, nefsi için yapmıştı. Ve, istediği kendisine verilerek, bu dünyada iyi bir insan olarak tanınmıştı.[5]

Oysa Hakîm'in yaptığı iyilikler, hadisten anlaşıldığına göre, 'desinler' diye değildi. 'İçinden geldiği' içindi. 'İnsaniyeten' idi. Nitekim, 'desinler' denmek ne kelime, kendisini açık hedef haline getirecek bir iyilikten dahi çekinmemişti. Mekke Peygamber'i dize getirme emeliyle Hâşimoğullarına üçbuçuk yıl acımasız bir ambargo uygularken Ebu Cehil başta olmak üzere müşrik önderlerin hışmını üzerine çekme pahasına bu ambargoyu üçbuçuk yıl boyu delen kişi, Hakîm b. Hizam'dı. Kendisi de henüz bir müşrik olduğu halde, üzeri yiyecek dolu develeri Şı'b-ı Ebu Talib'e yollayıp içlerinde halası Hz. Hatice'nin de yer aldığı Peygamber sülâlesini görüp gözetmekten çekinmemişti.

Bu örneklerin eşliğinde tekrar düşününce, rahatsızlık verici birşeyi yerden kaldırmayı yetmiş şubeli imanın 'en alt' ve 'en birinci' şubesi sayan hadis bana çok ama çok anlamlı gözüküyor.

Ve bu hadisin ışığında, şu an iman safında gözükmeseler dahi, hak bildikleri bâtıl bir yolda kendinden geçebilen insanlarda bir Ömer b. Hattab, sırf insaniyetinden dolayı kendinden feragat edip başkalarına yardım elini uzatan insanlarda ise bir Hakîm b. Hizam potansiyelinin saklı olduğu ümidini taşıyorum.

Diğer taraftan, "Komşusu aç iken tok yatan bizden değildir"[6] hadisini de, tam da bu bağlamda çok anlamlı buluyorum...

Ahlâkın doğru adresi

AHLÂKIN ÖLÇÜSÜ OLARAK neyin esas alınması gerektiğini en iyi özetleyen insan, kesinlikle Muhammed-i Arabî (a.s.m.) olsa gerektir. Onun kısacık "*Tahallakû bi ahlâkillah*" (Allah'ın ahlâkıyla ahlâklanın)[7] hadisi, insanın yaratılış amacına ve ahlâkın aslına dair muazzam bir özet hükmündedir.

Ahlâk ile halk, yani ahlâk ile 'yaratma' veya 'yaratılanlar' kelimesi arasındaki akrabalığı da hesaba katarsak, "Allah'ın ahlâkıyla ahlâklanın" sözü, yaratılan insanı, Yaratan onu nasıl bir fıtratla ve hangi amaçla yaratmışsa ona uygun bir ahlâkla donanmaya çağırır.

Ki, bütün mahlûkatın ve elbette insanın yaratılış amacı mutlak kemal ve cemal sahibinin kemal ve cemalini görüp göstermek ise; ve hepsi de O'nun eseri ve sanatı olan bütün mahlûkat varoluşlarıyla O'ndan geliyor ve O'nun esma ve sıfatını bildiriyor ise, insana düşen O'nun esma ve sıfatına ayna olmaktır. Zira insan, bir başka hadisin ifadesiyle, 'sûret-i Rahman'da,'[8] yani Rabbini en güzel şekilde tanıyıp tanıtacak, görüp gösterecek, bilip bildirecek, anlayıp anlatacak bir surette yaratılmıştır.

Dolayısıyla, ahlâkın zirvesi, işte bu hal üzere olmaktır. Yaratılışı ile üzerinde görüneni bozmamak, yaratılışı ile murad edileni atlamamaktır.

Buradan hareketle, hep kendi tarafına yontan nefsin tuzaklarına düşmeden, gerek kendisinin, gerek başkalarının ahlâkî düzeyini kavrayabilir insan.

Buna göre, Rabbinin esması üzerinde okunmuyorsa, kişi ahlâkın uzağında demektir. Üzerinde Rabbine ait özellikler okunuyor, ama bunu kendine mal ediyorsa, yine ahlâkın uzağında demektir.

Meselâ, Allah'ın ihsanındaki cömertlik ve bolluğa, yani onun Cevvâd isminin mutlaklığına bütün kâinat şahit olduğu halde cimrilik yapan insan, ahlâkın uzağındadır. Zira, 'Allah'ın ahlâkıyla ahlâklanmış' değildir. Kendisi sonsuz derecede cömert olan Cevvâd-ı Kerîm kullarını da cûd ve ikramı sever bir fıtratta yarattığı halde, Allah'ın ona verdiklerinden kısmakta, onları başkalarından kıskanmaktadır. Diğer taraftan, sırf cömert biri olarak anılayım diye cömertlik yapan biri, meselâ insanlara yedirip içirmesiyle meşhur bir Ebu Cehil de ahlâkın uzağındadır. Çünkü, O'nun olanı ve O'nun verdiğini, ve yine O'nun hediyesi olan cömertlik duygusunu kendine mâl ederek katmerli bir hırsızlık sergilemektedir. Buna karşılık, Cevvâd-ı Kerîm olan Rabbinin verdiklerini yine Rabbinin verdiği verme duygusuyla ve yine Rabbinin adına veren biri, 'Allah'ın ahlâkıyla ahlâklanmış' bir güzel ahlâk timsalidir.

Rabbimizin bütün isimlerine bu şekilde muhatap olup O'nun 'halk,' yani yaratılış âlemindeki fiillerine böylesi bir dikkatle nazar etsek, sanırım hepimiz 'ahlâk'ın esasını kavrayıp, özüne ulaşmış olacağız.

Nitekim, "Allah'ın ahlâkıyla ahlâklanın" tavsiyesinin sahibi Resûl-i Ekrem aleyhissalâtu vesselam, her biri bir ism-i ilâhîye dayanan ve 'ahlâkın en güzeli'ni temsil eden tavırlarıyla,[9] bize bunun eşsiz bir misalini sunuyor:

> "Allah güzeldir, güzelliği sever."[10]
>
> "Allah refîk'tir, rıfkı [yumuşak huyluluğu] sever, rıfk sebebiyle razı olur, rıfk [sahibin]e mahsus bir yardımı vardır ki, şiddet sahipleri bu yardımı göremez."[11]
>
> "Allah tayyib'dir, tayyib [güzel] olanı sever; nazîftir, nezafeti [temizliği] sever; kerîm'dir, keremi sever; cömerttir, cömertliği sever."[12]
>
> "Allah pak ve nazîftir, paklık ve nezafeti sever; kerîm ve cömerttir, kerem ve cömertliği sever. Öyleyse avlularınızı ve boş sahalarınızı temiz tutun."[13]
>
> "Allah diridir ve ayıpları örtücüdür, hayâyı ve örtünmeyi sever."[14]

Bu hadislerden anlaşılacağı üzere, Resûl-i Ekrem'in (a.s.m.) o kısa ama muazzam "Allah'ın ahlâkı ile ahlâklanın" sözündeki emre tâbi olup Rabb-ı Rahîm'in esmâ-i hüsnâsının her birini üzerimizde cilvelendirmeye gayret etsek, aynı anda birçok düğüm çözülecektir.

Açıkçası, ahlâk-ı ilâhî ile ahlâklanabildiğimizde, hem şu dünyada yaratılış amacımızı gerçekleştirip O'nun esmâsına âyine olarak O'nun hoşnutluğunu kazanmış olacağız, hem bütün yaratılmışlarla güzel ahlâkın gerektirdiği şekilde muhatap olacağız, hem de nefis ve şeytanın desiseleri ile bozulan enfüsî ve içtimaî hayatlarımızı yeniden denge, huzur ve sükûna kavuşturmuş olacağız.

Ne dersiniz: Meyveleri bunlar olacak bir teşebbüs her türlü gayrete değer, değil mi?

Haydi, hepimiz Allah'ın ahlâkıyla ahlâklanalım...

Birbirimizi sevmedikçe...

KİMİSİNDEN BELKİ HİÇ HABERDAR olmadığımız onbinlerce hadis rivayeti arasında, elbette defaatle duyduğumuz hadisler de vardır. Resûl-i Ekrem aleyhissalâtu vesselamın "İman etmedikçe cennete giremezsiniz. Birbirinizi sevmedikçe iman etmiş olmazsınız"[15] buyurduğunu haber veren hadis rivayeti, işte bu ikinci gruba dahil olanlardandır.

Bu hadisi, belki onlarca, belki yüzlerce kez okumuş yahut duymuşuzdur.

Şahsen, bu hadisi birçok kereler duymuş ve Resûl-i Ekrem'in (a.s.m.) hayatından ve rehberliğinden esintiler taşıyan birçok kitapta da okumuş olmakla birlikte, hadisin özellikle ikinci cümlesini kavramada uzunca süre zorlandım. Tâ ki, bir imanî müzakere ortamında zihnini, fikrini ve kalbini beraberce bir hakikatin anlaşılması için yoran ve yoğunlaştıran arkadaşlar vesilesiyle bu cümlenin düğümü açılıncaya kadar...

Birbirini, yani mü'min kardeşini sevmeyi imanın kalbe yerleşmiş olup olmadığının ölçüsü olarak zikreden ilgili hadis, bu müzakere ortamında anladık ki, gerçekten muazzam bir hakikate dikkatimizi çekiyordu. Bunu ise, 'birbirini sevme'nin zıddı olarak 'birbirini sevmeme'nin dayandığı zemine bakarak kavrayabilirdik.

Bir mü'mini sevmemenin değişik gerekçeleri olabilirdi. Bu gerekçeler içinde bize belki en doğru ve esaslı görüneni ise, o mü'minde görünen hata ve yanlışlardı. Bu hatalar ise ya bizim mizacımıza uymayan, bizim bakış açımız, görgü ve anlayışımız ile uyuşmayan, yani 'bize göre' (subjektif) hatalar oluyordu; yahut, objektif kriterlere göre, meselâ âyet ve hadisin kıstasına vurulduğunda yanlışlığı ortaya çıkanlar...

Bir kere, Kur'ân'ın ve sünnetin ölçülerine vurulduğunda 'yanlış'lığı ortaya konamayacak olan, yani sadece 'bize göre' yanlış olan şeyler yüzünden bir mü'mine karşı kalbini kapatmak, başlıbaşına bir kusur idi. Bunu, mizacımız mizaçlarına uymadığı için başka insanların bize husumet göstermesine razı olup olmadığımızı vicdanımıza sorarak kolayca anlayabilirdik.

Kalbinde iman olan bir mü'minin anlayış ve yaşayış olarak sergilediği, Kur'ân ve sünnet mi'yarına uymayan tablolar karşısında yine mü'mini kalbimizden silip atmada ise, vicdanın gene tedirgin olmasına mukabil, aklî savunmalar geliştirebiliyorduk. Yapılanın objektif kritere aykırılığı, bizi bu noktada cesaretlendiriyordu.

Ama burada da, 'empati' denilen ve birbirimize düşman olma gibi bir halin çözülmesinde en fıtrî araçlardan biri olan muazzam nimeti kullanacak olursak, yapılanın yanlışlığını kavramamız mümkündü. "Kalben doğru olanı tasdik etmek ve onunla amel etmeyi istemekle birlikte, nefsimize uyup işlediğimiz günahlar yüzünden mü'min kardeşlerimiz bize kalblerini kapatsalar, razı olur muyuz?" diye düşünsek, cevap belliydi. Olmazdık. Çünkü, imanımızı amel-i salihle süslemenin bir esas olmasının yanısıra, iman ile amel-i salih arasında bir mesafenin varlığı da bir gerçek idi. Kur'ân-ı Hakîm defaatle 'iman edenler *ve* amel-i salih işleyenler'e hitap ederken, aradaki 've' ile hem iman ile amel-i salih arasındaki ilişkiye, hem de ameline bakarak kişinin imansızlığına veya imanının zayıflığına kâil olamayacağımıza dikkat çekiyor değil miydi? Kendimiz, kendi hayatımızdan hareketle, bu sonucu rahatlıkla çıkarabilirdik. İşlediğimiz günahların yanlışlığını aklen biliyor, ve o günahı işlediğimiz halde kalben ızdırap çekerek içten içe istiğfar ediyor değil miydik? O halde, bir başka mü'mini de, gördüğümüz, Kur'ân ve sünnet gibi 'objektif kriterlere' ters düşen davranışları yüzünden daire dışına atmaya hakkımız yoktu. Nitekim, nefsin bu noktada oynadığı ve oynayacağı tuzaklara binaen, Kur'ân-ı Hakîm ve de Resûl-i Ekrem, "imanını ikrar edene, 'Sen mü'min değilsin' dememeyi" şart koşuyordu.

Gelin görün ki, nefis kendini yüceltmeyi arzu ettiği için avukat gibi kendisini müdafaa ediyor ve karşımıza bir "Hatalı sair insanlar, hatasız ben!" tablosu çıkarma gayretine giriyordu. Bu yolda en büyük silahı, elbette, cerbeze idi. Bir mü'minin binlerce cümlesi, hatta senelerce söylediği nice sözü arasından seçilen az sayıda yanlış sözü ortaya döküp onu bu yanlış sözlerle tarif ederek bütün söyleyip ettiği sanki bunlardan ibaretmiş gibi görünce de, 'sevme' veya 'acıma' değil, 'nefret' içeren duygulanımlara dûçar olmak pek zor olmuyordu. Bir mü'minin belki seneler önce işlediği—ve muhtemelen istiğfarı binlerce kez yapılmış ve önemli kısmı artık fiilen terkedilmiş—günahların tamamını o mü'min şu gün şu saatte beraberce işliyormuş gibi tahayyül etmeye kalktığımızda da aynı şey vâki oluyordu. Ama bu adilâne bir değerlendirme olamazdı. Bu, şefkat kahramanı bir mü'minin vurguladığı üzere, bir insanın bir ömür boyu çıkardığı balgamı veya yellenmeyi bir günde çıkarmış gibi hayal edip ondan nefret ile kendisinden kaçmak ne kadar çirkin, kerih ve yanlış ise, en az o kadar çirkin ve yanlış olurdu.

Velhasıl, mü'min kardeşimizi sevemediğimiz tabloların altında, iyice eşelersek, 'ene'nin hissesi vardı. Bu tabloların zihnimize yer etmesinin ardında, 'enaniyet'ten gelen bir asabiyetle nefsin kendisini masum, başka mü'minlerin nefislerini ise mahkum kılma gayreti yatıyordu. Tâ ki, nefis böylece kendini tezkiye ve tebrie edip yüceltebilsin!

'Ene' ise, 'Hüve'ye râm olmadıkça şirk derelerini besleyen kaynak değil miydi?

Kısacası, mü'min kardeşini sevmemelerin altında yatan aslî unsur, zahirî gerekçesi ne olursa olsun, 'enaniyet' idi; ve 'enaniyet,' sahih ve halis bir imanı engelleyen ve bozan en birinci şirk zeminiydi.

Bu çerçeveden bakınca, hadisin verdiği ders, nasıl da insanın içine oturuyor: "Nefsimi Kudret Elinde tutan Zât-ı Zülcelâl'e yemin ederim ki, sizler iman etmedikçe cennete giremezsiniz. Birbirinizi sevmedikçe [yani, bu açıklamaya göre, enaniyetinizi aşmadıkça] iman etmiş olmazsınız."

Kardeşini sevebilmek

'ALGININ SEÇİCİLİĞİ' DİYE İFADE edilen fıtrî bir hakikat vardır. İnsan, muhatap olduğu bir yığın şey arasından, kendi durumuna uygun olanı seçer alır.

O yüzden, aynı hadiseye muhatap olan bir dizi insan, hadiseyi anlatmaları istendiğinde, farklı farklı şeyler dile getirir. Bir kitabı okuyan iki insanın, kendi ruh hallerine göre, yekdiğerinden gayrı noktaların altını çizdiği görülür. Bir muhatabın onca sözü arasından, her bir dinleyicinin bazı sözleri alıp bazılarını unuttuğu görülür. Her bir dinleyicinin unuttukları ile hatırında kalanlar arasındaki fark ise, bu dinleyiciler arasındaki algı farklarını ele vermektedir.

Algının seçiciliği diye ifade edilen bu vâkıanın yansımalarından biri, hadislerdir. Herkes, kendi ihtiyacı ve istidadı uyarınca aynı hadisten farklı mânâlar çıkardığı gibi, hadisler arasında kendine göre bir seçmeye de gidebilir. Bunun, bir dereceye kadar mazur ve mâkul görülebilir bir durum olsa da, yol açtığı ciddi mahzurlar da vardır—bilhassa birbirini tamamlayan hadisler sözkonusu olduğunda... Şayet bir hadis bir başka hadis ile kemalini buluyorsa, bir hadis bir yöndeki ifratı tedavi ederken öteki hadis aksi yöndeki tefriti önlüyorsa; bu ikiliden birinin gözden kaçırılması, Resûl-i Ekrem aleyhissalâtu vesselamın hayatıyla sergilediği denge ve mizandan bizim mahrum kalmamız gibi vahim neticeler ortaya çıkarmaktadır.

Bu bâbda, meselâ şu hadis umumen bilindiği halde, bu hadisten ifrat üretmeye müstaid kişileri dengede tutacak, ifrattan koruyacak diğer bir hadis umuma mâl olmuş değildir. Hepimiz, 'mü'min kardeşini yüzüne karşı övmenin onu boğazlamak hükmünde olduğu'ndan haberdarızdır. Çünkü, Hz. Peygamber, "Sakın birbirinizi methetmeyin. Çünkü bu boğazlamaktır"[16] buyurmuştur. Zaten, o yüzden, mü'min kardeşimizi övmeyiz de. Üstelik, içimizden tenkit kabiliyeti ziyadesiyle gelişmiş olanlar, bu hadisi tek başına aldıklarında, işi 'en güzel takdir edici yoldaş' ve 'teselli ve taltifte birer şefkatli kardeş' olma gibi ihlas ölçülerini çiğneyecek raddeye kadar götürebilirler. Ne de olsa, ortada apaçık bir hadis vardır: Kardeşini yüzüne karşı övmek, onu boğazlayıp öldürmek demek olacaktır.

Lâkin, bu hadis, kardeşini yüzüne karşı methetmeyi yasaklarken yüzüne karşı zemmetmeyi hiç de iktiza etmediği gibi, buradaki 'övme'nin sırrını ve sınırını bir başka hadis bize bildirmektedir. Ne yazık ki umuma mâl olmamış bu hadise göre, mü'minin mü'mine karşı yapması gereken işlerden biri, sevgisini ona ifşa etmesidir. Bir peygamber meclisinde Ashabdan biri uzaktaki bir sahabiyi gösterip "Yâ Rasûlallah! Ben bu insanı çok seviyorum" dediğinde, Resûlullah aleyhissalâtu vesselamın mukabelesi, "Peki, o bunu biliyor mu?" şeklinde olmuştur. Cevap "Hayır" olduğunda, Resûl-i Ekrem (a.s.m.) "[Sevgini] ona haber ver" buyurmuştur.[17] Bunun üzerine sözkonusu sahabinin koşup öteki mü'mine sevgisini bildirdiğinde aldığı karşılık ise, bu mü'minin sevgiye ne kadar da lâyık olduğunun habercisidir. "Ey filan! Seni seviyorum" diyen mü'min kardeşine bu sahabinin verdiği cevap şudur: "Beni Kendisi için sevdiğin Allah da seni sevsin!"[18]

Bu hadis hakikat-ı halde hepimiz için tecrübeyle sabit olan bir vâkıayı işaretler. İmbikten geçirilmemiş sözler ile muhatabı tamir mi tahrip mi edeceği tartılmadan yapılan tenkitler, aradaki uhuvveti ve muhabbeti söndürmekte; buna karşılık, aradaki sevginin ifade edilmesi çok gerilimi çözmekte, çok yanlış anlamanın önüne geçmekte, çok ihtilaftan bizi alıp çekmektedir.

Bu bakımdan, bütün güzellikler O'ndan geldiğine göre güzellik ve mehasini sebebe mâl eden övmeler ne kadar yanlış ise, o güzelliklerin aynası hükmündeki bir mü'mine sevgisini izhar ve ifade etmek o kadar doğru ve gereklidir.

Sanırım, ilkinden kaçındığımız kadar ikincisini ifa edebildiğimiz gün, bugün paramparça olmuş mü'minlerin arasındaki ihtilaf ve küskünlükler asgarîye inecek; yerini, rahmetin celbine vesile olan bir uhuvvet hâlesi bürüyecektir.

Düşmanla karşılaşmayı ummak

KUR'ÂN-I HAKÎM'DE 'DÜŞMAN' kelimesinin geçtiği âyetleri sıra ile okuduğunda, müdakkik bir Kur'ân talebesinin bu satırların yazarına farkettirdiği üzere, bir incelikle tanışır insan. Hiçbir Kur'ân âyeti mü'mine 'düşmanlık' yakıştırmaz, ama mü'minin 'düşmanları'ndan söz eder. Mü'minin, 'apaçık bir düşman' olarak şeytan başta olmak üzere, düşmanları vardır; ve mü'min, kendisine düşman olana karşı dikkatli olma durumundadır. Lâkin, buna karşılık Kur'ân'da "Ey iman edenler! Siz de filana ve falana düşman olun" gibi emirler verilmemekte; yalnızca, düşmanını 'dost edinmemesi' emredilmektedir.

Âyetlerdeki bu nüansın öğrettiği üzere, demek ki, mü'min 'dıştan gelen' bir düşmanlık ile yüzyüzedir—'içten doğan' bir düşmanlık ile değil. Yani, mü'min zaten var olan bir 'düşman'la yüzyüzedir; yoksa, kendisi düşman üretmez, üretmemelidir. Bu yüzden, düşmanı olan düşmanlığını bıraktığında, yani küfre karşı imanı tercih ettiğinde, o eski düşman '*veliyyün hamîm*,' yani 'sıcacık bir dost' oluverir; zira "mü'minler ancak kardeştirler." Nitekim, Asr-ı Saadet, bunun binlerce parlak örneğini nazarlara gösterir. Birikmiş bütün husumetlerin imandan gelen muhabbet ve uhuvvet ikliminde nasıl eriyip gittiğinin Asr-ı Saadetteki en parlak örnekleri ise, Mekke'nin fethi hengâmında sergilenenlerdir.

Açıkçası, Kur'ân-ı Hakîm'de zikrolunan 'düşman' âyetleri, esasen insanın iç dünyasının dinamiklerini ele verir. Anladığımız üzere, mü'minde aslolan muhabbettir, keremdir, uhuvvettir. Mü'min, kendisini Rabbi ile tarif ettiği için, kendisini tarif için bir 'düşman' üretmeye; kendisini "Ben filanca gibi değilim"ler ile, "Ben falana karşıyım"lar ile tarif etmeye muhtaç değildir. Onun, imana ve mü'minlere düşman bir nasipsizin bir gazete manşetine taşıdığı üzere, 'düşman ihtiyacı' yoktur. 'Düşman ihtiyacı,' ancak ve ancak, kendisini Rabbi ile tarif etmediği için 'öteki'ler ve 'düşman konsepti' üreten dimağların kârıdır.

Mü'minin düşmanlık, ve onun paralelinde gelen öfke, nefret, hışım, haset gibi menfi duygulardan tanım gereği uzak olmasının bir tezahürü, onlara düşman olanlara karşı Kur'ân'da mü'minlere tavsiye edilen davranışlardan anlaşılabilir. Kur'ân-ı Kerîm, mü'mine 'lağv'a, yani kötülüğe muhatap olduğunda 'kerem' ile mukabele etmeyi; düşmanlık gösterenin fenalığını 'en güzel sûrette def'etme'yi önerir. Eğer bu kâr etmiyorsa, 'en güzel bir ayrılışla onlardan ayrılması' öğütlenir. Lâkin, hâlâ daha düşman haddi tecavüze yelteniyor ve mü'minin hayatına kastediyorsa, bildiğimiz anlamda cihada başvurulur.

Nitekim, Resûlullah'ın hayatı ve Mekkî ve Medenî âyetlerin nüzûl seyri, bu sürecin apaçık bir delilidir.

Bu Kur'ânî terbiyenin, elbette, nebevî tezahürleri vardır. Kendisine en sert düşmanlık sergileyen, hatta hayatına kasteden insanları imana geldiklerinde tam bir kerem ile affeden; hatta onların kendi geçmişlerini hatırlayarak diledikleri özre mukabil "İslâmiyet kendinden öncekileri kesip atar" buyuran; böylece, cahiliye içinde iken yaptıklarından dolayı şimdi mü'min olarak onun şahsına husumet göstermeyeceğini apaçık bildiren bir insandır Muhammed-i Arabî (a.s.m.). Öyle ki, kılıcına yazdırdığı söz dahi, ancak ve ancak şudur: "Zulmedeni affedeceksin, gelmeyene gideceksin, vermeyene vereceksin."

Onun, özünde muhabbet, adalet, kerem ve ihsan gibi özellikler taşıma; muhabbetin zıddı olan adavetten, adaletin zıddı olan zulümden, keremin zıddı olan intikam gibi duygulardan berî olma durumundaki mü'minlere cihad üzere yola çıktıklarında yapageldiği bir tavsiye de, yine bu çerçevede, ziyadesiyle anlamlıdır: "Düşmanla karşılaşmayı temenni etmeyin."[19]

Bu Peygamber sözü, 'dıştan gelen' bir düşmana karşı dikkatli olmak ile 'içten doğacak' bir düşmanlığa ket vurmak arasındaki zor ve ince dengenin harika bir özetidir. Dışta, hariçte imana ve—imanından dolayı—mü'mine kastedene karşı mü'min elbette 'hıfz-ı hayat' ve 'hıfz-ı hakikat' cihadını kuşanmaktadır. Lâkin, gadabî kuvvetlerin fıtraten uyandığı bu durumda, bu duyguların istikametinden aşması ve taşması riski de vardır. Mü'min, imana kasteden bir tavra düşman iken, nefsi ve istikamet çizgisinden taşmış gadabî duyguları, o düşmanlığın 'öznesi'ni bizatihî düşman olarak takdim edebilir. Böylece, o kişi, ıslah-ı hal edip cihadı gerektiren o düşmanca tavırdan arınsa bile gadabî duyguların odağında kalabilir. İşte, rahmeten lil-âlemîn (a.s.m.), "Düşmanla karşılaşmayı temenni etmeyin" buyurarak, muhabbet ve kerem menbaı bir mü'min kalbden adavet doğmasının önüne geçmektedir. Bir başka ifadeyle, bu hadis ile mü'mine söylenen şudur: Dileyin ki, imana ve mü'mine düşmanlık gösteren düşmanlığını terketmiş, dolayısıyla ona karşı cihad zarureti ortadan kalkmış olsun. Ola ki, düşman hakikate karşı inadından vazgeçer, ve ya hakkın tebliğine karşı çıkmaz, yahut hakikate teslim olur. Mü'min bu duruma açık, hatta hazır olmalı; beklentilerini 'düşmanlık' üzerine kurmamalıdır.

İnsan, bu Kur'ânî ve nebevî terbiyeyi bir kefeye, bu terbiyeyi veren Kur'ân'a ve Resûl-i Ekrem'e ve de onlardan ders alan mü'minlere düşmanlık gösteren, hatta gazete manşetlerinde onların 'dış düşmana ihtiyaç bırakmadığı'nı yazabilenleri öbür kefeye koyunca imandaki güzellik ve insanîlik ile küfürdeki çirkinlik ve kabalığı o kadar açık görüyor ki...

Keşke Resûl-i Ekrem'in yolunda olduğunu söyleyen herkes o kudsî nebîden bu dersi alıp imandaki bu güzelliği gösterebilse!

Keşke!

En kısa hadis

ON KÜSUR YIL ÖNCE GÖNÜL koyduğum bir çalışmaya son şeklini vermek üzere Kütüb-i Sitte'yi okuyor olduğum günlerde, belki doğrudan bu çalışmada yer almayacak olan ama hayatıma nur ve sürur taşıyan nebevî incilerle de yüzyüze gelmiş bulunuyorum. Resûl-i Ekrem'in sözlerini muazzam bir cehd ve hassasiyetle bugünlere kadar taşıyan muhaddislere ve bu sözlerin anlamı ve amacı konusunda muazzam bir himmet sarfetmiş alimlere karşı hürmet ve minnet hisleriyle dolmamı sağlayan bu hadis okumalarım esnasında karşıma çıkan belki en kısa hadis ise, şöyle: "*Lâ tağdab!*"

Sahîh-i Buhârî, Sünen-i Tirmizî ve Muvatta'da yer alan ve Ebu Hureyre radıyallahu anhın rivayet ettiği bu hadis, çok latif vecihler taşıyor. Ashabın Resûl-i Ekrem'e ne derece safi bir kalble muhatap olduğunun da nişanesi olan bu hadis rivayetinden anladığımıza göre, bir adam Resûl-i Ekrem'e (a.s.m.) geliyor ve "Yâ Rasûlallah!" diyor. "Bana kısa bir nasihatte bulun, uzun yapma! Tâ ki, nasihatini unutmayayım." Ve, bu sözünü birkaç kez tekrarlıyor. İddiasız, saf ve samimi bir hal içinde, unutkanlığını ivazsız ve hesapsız biçimde dile getirerek nasihat isteyen bu sahabiye, Resûl-i Ekrem aleyhissalâtu vesselam arzusuna muvafık bir cevap veriyor. Ona çok kısa bir nasihatte bulunuyor: "*Lâ tağdab*!" Yani, "Öfkelenme!"[20]

Bu hadisten şahsen ne anladığımı burada zikredecek değilim. Çünkü, ulema bu kısa hadis üzerinde o kadar derinlikli ve ciddi biçimde durmuşlar ki, fazla söze hacet kalmıyor zaten. Meselâ, Ahmed b. Hanbel ve İbn Hibbân'ın kaydettikleri bir rivayetin sonunda, ismi belirtilmeyen bir kimseden şu açıklama ziyade edilmekte imiş: "Resûlullah'ın söylediğini düşününce, gördüm ki, öfke bütün kötülükleri cem'etmektedir." Öfke bütün kötülükleri cem'eden bir haslet olduğuna göre, "Öfkelenme!" buyurarak, Resûl-i Ekrem (a.s.m.) adı geçen hâfızası zayıf sahabiye esasında çok nasihatler içeren câmi' bir nasihatte bulunmuş oluyor.

Nitekim, İbnu't-Tîn demiş ki: "Hz. Peygamber aleyhissalâtu vesselam, 'Öfkelenme!' sözünde dünya ve ahiretin hayrını cem'etmiştir. Çünkü öfke, kişileri birbirlerinden kopmaya, rıfkı bertaraf etmeye götürür. Bazan, kızılan kimseye eza vermeye sevkeder. Bu ise kişinin dinini noksanlaştırır."

İlm-i hadis ve fıkhın büyük imamlarından İbn Hacer ise bu meyanda şu açıklamayı getirmiş: "Hadisin büyüğü zikrederek küçüğe uyarıda bulunmuş olması da ihtimal dahilindedir. Zira, kişinin en büyük düşmanı, şeytanı ve nefsidir. Öfke de bu iki şeyden neş'et eder. Kim bu iki düşmanla bütün zorluğuna rağmen onları yeninceye kadar mücadele ederse, nefsinin şehvetini ezmede daha kuvvetli olur."

Bazı alimler, benzer bir çerçevede şöyle bir tahlilde bulunmuşlar: "Öfkelenme!

Zira öfkenin neş'et ettiği en büyük kaynak kibirdir. Zira kişinin arzu ettiği birşeye muhalefetten kibir vukua gelir. Kibir de onu öfkeye atar. Bu durumda, mütevazı olan kimseden izzet-i nefis çabuk zâil olacağı için, öfkenin şerrinden selamette kalır."

Başka bazı alimler ise, "Hadisin mânâsı, 'Öfkenin emrettiği şeyi yapma!' demektir" demişlerdir. Ki, Ebu Bekre radıyallahu anhın Sicistan'da kadılık yapan oğlu Abdullah'a söylediği üzere, Resûlullah aleyhissalâtu vesselam "Kimse, öfkeli iken, iki kişi arasında hüküm vermesin"[21] buyurmuş ve bu hadise binaen alimler "Kadı öfkeli iken hükmedemez" hükmüne ulaşmışlardır. Bu hükmün kendisine dayandığı hadis de, "Öfkelenme!" hadisine yüklenen "Öfkenin emrettiği şeyi yapma!" mânâsını açmakta ve desteklemektedir.

Ulemanın sünnetin edebiyle edeblenme yönündeki ciddi bir gayret ile değişik veçhelerden tahlile çalıştıkları bu en kısa hadisin bana göre en câmi ve en mükemmel şerhini ise, et-Tûfî gerçekleştirmiş. Her bir hali ve her bir sözü ile bize tevhid ve ubudiyet dersi veren Resûl-i Ekrem'in bu kısacık sözünden, şu tevhid dersini çıkarmış Tûfî:

> "Öfkeyi defetmenin en kuvvetli çaresi, hakikî tevhidi hatıra getirmektir. Bu, Allah'tan başka failin olmadığını, O'nun dışındaki her failin O'nun bir âleti olduğunu bilmektir. Kime bir başkasından hoşuna gitmeyen birşey gelecek olursa, hemen hatırlasa ki eğer Allah dileseydi bu olmazdı, öfkesi dağılır. Çünkü, böyle düşündüğü halde öfkesinin devamı, onun Allah'a öfkelendiğini ifade eder. Bu ise, ubudiyete aykırıdır."

Vâkıa, zannımca budur. O yüzden, her ne yaratılmış ise O'nun izni dahilinde cereyan ettiğinin bilinmesinde fayda vardır; ve mü'minin Kur'ân'da vasfedildiği üzere 'öfkesini tutanlar'dan olması ancak öfkelendiği anda bu tevhid sırrını hatırlamasıyla mümkün olabilir.

Rabbimizin bizi bu en kısa hadisin yolunu tutanlardan kılması duasıyla...

İki yanlış arasında

KUR'ÂN-I HAKÎM'DE MÜ'MİNLER, başka vasıfların yanısıra, '*yûkinûn*' diye de tarif edilirler. Bu tarif, iman ile yakîn arasındaki irtibatı bildirir. Mü'minin Allah'ın varlığına inanırken, yakîn haliyle, yani bir asla ve delile dayanarak iman ettiğini ima eder.

Yakîn, mü'minlerden yalnızca iman noktasında istenilen bir keyfiyet de değildir. Rabb-ı Rahîm, mü'minlerin hayatın her alanında yakînle hareket etmesini istemektedir. Birşey hakkında doğrulanmış kesin bilgi anlamında yakîne mukabil, yanlış olma ihtimali de bulunan kesinlikten uzak bilgi anlamında zan, Kur'ân'da herhangi birşey hakkında hüküm vermek için yeterli ve geçerli addedilmez. Kur'ân, defaatle, mü'minlere "Zanna göre hükmetmeyin" emrini verir.

Buna karşılık, zan, ne yazık ki hayatlarımızın bir gerçeğidir. Zira, hissiyatına göre hükmetmeye meyyaldir insan. Yanılmış ve yanıltılmış olmaktan, hele 'enayi yerine konulmak'tan hiç hoşnut olmaz. O yüzden, hakkında kesin bir bilgi olmadığı halde bir kişinin bir noktada suçlu olduğunun 'zannedildiği' durumlarda, o kişinin o suçu işlemiş olduğu görüşünü kabul etme eğilimi sergiler. Hele bir de karşıdaki kişi veya onun ait olduğu ortam ile ilgili olumsuz hisleri varsa, kesinlikle böyle davranır. "Zandan sakının" buyuran Kur'ân'ın bunu "Zannın çoğu büyük günahtır" diye gerekçelendirmesi, bu açıdan manidardır. Çünkü, 'zannın çoğu' suizandır. İnsan, suizan mümkünse hüsnüzan etmeme eğilimindedir. Yanlış çıkacak bir hüsnüzandan dolayı aptallık ve enayilikle suçlanma ihtimali ona çok ağır gelir. Yanlış çıkan suizandan yakasını sıyırması ise hayli kolaydır: "N'apayım, öyle zannettim!"

Resûl-i Ekrem'in (a.s.m.) ortaya koyduğu bir denklemin, suizanna meyyal insanın belirsizlik durumunda alması gereken tavrı açıkça ortaya koyduğunu düşünüyorum.

Hz. Âişe'nin bildirdiğine göre, Efendimiz aleyhissalâtu vesselamın duruşu, zandan değil yakînden yana olduğu gibi, cezadan değil aftan yanadır. O, "Elinizden geldikçe, hadd cezalarını Müslümanlardan defedin. [Muteber] bir özrü varsa hemen salıverin" buyurmuş ve eklemiştir: "Zira imamın yanlışlıkla affetmesi yanlışlıkla ceza vermesinden daha hayırlıdır."[22]

Bu hadisin son cümlesi, gündelik hayatta birileri ve birşeyler için hüküm verme durumunda olan hepimiz açısından, şöyle genelleştirilebilir: "Yanlışlıkla affetmek, yanlışlıkla ceza vermekten daha hayırlıdır." Keza, yanlışlıkla masum bilmek, yanlışlıkla suçlu görmekten daha hayırlıdır.

İhtimal ki, masum veya mazur bilip affettiğimiz kişi gerçekten suçlu olabilir. Dolayısıyla, affımızda yanılmış olabiliriz. Ancak, yanlışlıkla af dönüşü olan bir yol olduğu halde, yanlışlıkla cezalandırma yolunun dönüşü yoktur. Birincide, af gören kişinin suçu sabit olduğunda gereken yapılabilir. Bir kişi suçsuz olduğu halde suçlandığında ise, onun kişiliğine ve şerefine leke sürüldüğü gibi, maddî ve hayatî açıdan dönüşsüz yollara girme riski bulunmaktadır. Nitekim, işlemediği bir hırsızlık isnadına binaen hırsız diye anılan, işlemediği bir suç siciline işlenen, işlemediği bir fiilden dolayı adı kötüye çıkan, işlemediği cinayetten dolayı idam edilen nice insan bulunmaktadır.

İşte nebevî çizgi: İki yanlış arasında, kişilerin hayatları ve kişilik hakları açısından ehven olanı seçmek: yanlışlıkla masum bilmeyi yanlışlıkla suçlamaya, yanlışlıkla affetmeyi yanlışlıkla ceza vermeye tercih etmek...

Bir yapabilsek!

Bir haksızlık karşısında

ORTADA BİR HAK İDDİASININ ve haksızlık tartışmasının olduğu durumlarda birçok kişinin takınmayı tercih ettiği bir tavır vardır: bigane kalmak, taraf olmamak.

Bu tavrın sahipleri, ya "Bırakalım kendi aralarında çözsünler, biz kendi işimize bakalım" düşüncesi içinde bu tavrı takınırlar, yahut "Bu bakımdan o haklı, o bakımdan bu haklı" kabilinden renksiz ve totolojik bir yaklaşım içerisinde...

Bu tavırda, haklı olduğunu düşündüğü taraftan yana bir tavır koymanın getireceği kayıplarla ilgili hesap ve endişelerin de etkisi sözkonusudur.

Bu tavır koymama yaklaşımının içerdiği en temel yanılgılardan biri, insanın bu şekilde dengeli bir noktada durduğunu düşünmesidir. Hayatın akışı içerisinde karşımıza çıkan ihtilaflarda yüzdeyüz haklılık ya da yüzdeyüz haksızlık ender bir durumdur gerçi. Ancak, bir 'fifty-fifty' hali, daha da ender bir durumdur. Ekseriya, taraflardan biri büyük ölçüde haklıdır, diğerinin haklı olduğu noktalar bulunsa bile bu o tarafın yaptığı haksızlığa mazeret teşkil edebilecek bir keyfiyette değildir. İki tarafın eşit derecede haklı veya eşit derecede haksız olduğu durumlarda taraf olmamak belki anlaşılır bir durumdur; ama bir tarafın haklılığı aşikâr olduğu halde tarafsız kalanlar, aslında hiç de 'tarafsız' ve 'dengeli' değillerdir.

Her insan, böylesi bir tarafsızlık durumunun sonuçlarını işin içinde kendisinin olduğu ve olmadığı hak ihtilaflarından hareketle rahatça kavrayabilir. Olay bizim dışımızda cereyan ediyorsa, evet, tavır almamaya eğilimliyizdir. İki tarafa eşit mesafede durmak bize en 'dengeli' tavır olarak gözükür. Ama olayın bir tarafı biz isek ve haksızlığa uğradığımıza inanıyorsak, bu 'dengeli' tavrın hiç de öyle olmadığı aşikâr biçimde ortaya çıkar. Görürüz ki, haksızlığa uğradığımız bir noktada üçüncü kişilerin bigane ve tarafsız kalması gerçekte haksızlık yapana yaramıştır. Haklı ile haksız arasında, ancak hakkın sahibine iadesi ile mümkün olacak denge ve adalet sağlanmamış; haksızlık, yapanın yanına kâr kalmıştır.

Açıkçası, iki tarafa eşit mesafede durmanın adaleti temin ettiği şeklindeki bir mantık, yanlış bir denge mantığıdır. Bu yanlış mantık, haksız bir biçimde, haklı ile haksızı eşitlemekte; böylece, haksızlığın yapanın yanına kâr kalmasına sebebiyet vermektedir. Yani, haksızlık karşısında susanlar, gerçekte haksızı korumuş olmaktadırlar. Diğer bir deyişle, haksızlık karşısında tarafsız kalanlar, gerçekte haksızın lehine bir tavır almaktadırlar. Haksızlığın devamını sağlamaktadırlar.

Üstelik, bu sözümona 'tarafsız' ve 'dengeli' duruşun, haksızlığı izale edip hakkını alma çabası içindeki mağdura 'geçimsiz insan' imgesi yükleme gibi bir vebali daha vardır.

İnsanın fıtratına dercedilmiş hak ve adalet duygusunun sevkiyle, risaletle görevlendirilmeden önce de haksızlık karşısında açık bir tavır koyan, ve daha yirmili yaşlarında iken haksızlıkların izalesi için bir 'hılfu'l-fudûl'un oluşumunda aktif bir rol oynayan Hz. Peygamber'in bir sözü, haksızlık karşısında susmanın yukarıda irdelediğimiz sonuçları dikkate alındığında, ne kadar da manidardır! Haksızlık karşısında susmayı zemmeden, haksızlık karşısında hakkı söylemenin ise kimi durumlarda 'en efdal cihad' hükmüne geçtiğini bildiren bu hadisler, mü'minler için ziyadesiyle uyarıcıdır.[23]

Haksızlık karşısında susanları 'dilsiz şeytan' olarak değerlendiren rivayetlerin varlığı da, yine bu çerçevede, son derece anlamlıdır.

Çünkü, nefisleri elde edip kulaklara üfleyerek birilerini haksızlığa yönelten dilli şeytanın sebebiyet verdiği haksızlığın devamı, haksızlık karşısında susmayı tercih eden bu iradî dilsizler sayesinde gerçekleşmektedir. Haksızlık karşısında bigane kalmak, haksızlık edenlerde 'yaptığım yanıma kâr' duygusu uyandırmakta, böylece haksızlığın yayılmasına ve mesafe almasına sebebiyet vermektedir.

Dilli şeytanlara yardım eden dilsiz şeytanlar olmak ister misiniz?

Kolaylaştırın, zorlaştırmayın, ve de yozlaştırmayın

NEFSİNİN HOŞUNA GİTMEYEN her hadise ya "Acaba sahih mi?" diye şüpheyle yaklaşan yahut "Bu hadis sahih değil" diyerek peşinen reddeden insanların sahihliğini asla sorgulamadığı bir hadis vardır. "Kolaylaştırın, zorlaştırmayın."

Bu hadis, gerçekten sahih bir hadistir. Buhârî, İlim 12, Edeb 80 ve Müslim, Cihad 6-7'de geçmektedir.

Bu hadisin, rahmet peygamberinden (a.s.m.) sâdır olan hakikatli ve şefkatli bir hadis olmasına mukabil, bugün kimilerinin bu hadise söylendiği duruma uygun biçimde yaklaştığını söylemek ne yazık ki mümkün gözükmüyor. Muazzam bir nebevî terbiye dersi yüklü bu hadis, bugün ne yazık ki lâubalilerce lâubaliliklerini mazur göstermek için (sui)istimal ediliyor. Birileri, nefsin tiryakiliklerine sığınak bulma telâşıyla bu hadisi öne sürüyorlar.

Halbuki, "Kolaylaştırın, zorlaştırmayın" buyuran Hz. Peygamber, Muaz b. Cebel ekseninde gelişen bir diğer hadiste 'zorlaştırma'nın da, 'kolaylaştırma'nın da örneğini veriyor. Resûl-i Ekrem'in 'helâl ve haramı en iyi bilen'iniz diye övdüğü ve daha sonraları Yemen'e kadı olarak gönderdiği genç Muaz b. Cebel, bir akşam kabilesine kıldırdığı yatsı namazının birinci rekatinde Bakara sûresini okumaya başlıyor. 286 âyeti ile mushaflarda 48 sayfa tutan ve en hızlı okunuşu bile iki saati bulan Bakara sûresini... Bu durum karşısında, bir adam cemaatten ayrılıp selam veriyor, namazını tek başına kılıp namazgâhtan çekip gidiyor. Kabilesi daha sonra adama "Sen nifak mı çıkarıyorsun?" diye çıkışınca da, adam "Vallahi hayır!" deyip, ekliyor: "Resûlullah aleyhissalâtu vesselama gidip [Muaz'ın yaptığını] haber vereceğim." Adam, Resûlullah'a gidip, halini arzediyor: "Ey Allah'ın Resûlü! Biz sulama devesi besleyen insanlarız. Gündüz çalışırız. Muaz sizinle yatsıyı kıldı. Sonra bize gelip Bakara sûresi ile namaz kıldırmaya başladı" diye şikâyet ediyor.

Bu durum karşısında, Resûlullah'ın Muaz'a dönüp "Sen fitneci misin?" diye sorduğunu ve ona Bakara gibi en uzun sûre yerine 'kısa sûreler'i okumasını tavsiye ettiğini öğreniyoruz. Muaz'a, "Ve'ş-şemsi ve duhâhâ'yı, Ve'd-duhâ'yı, Ve'l-leyli izâ yağşâ'yı, Sebbih isme Rabbike'l-a'lâ'yı oku" tavsiyesinde bulunuyor Resûl-i Ekrem (a.s.m.).[24]

Kur'ân-ı Kerîm'i açıp Resûlullah'ın Muaz b. Cebel'in yatsıda cemaate okumasını tavsiye buyurduğu bu sûrelere baktığımızda, ilkinin, yani Şems sûresinin altı satır, onsekiz âyet; Duhâ sûresinin beş satır, onbir âyet; Leyl sûresinin sekiz satır, yirmibir âyet; A'lâ'nın ise yedi satır, ondokuz âyet olduğunu görüyoruz.

Yani, Bakara gibi en uzun sûreyle cemaate yatsı namazı kıldırmaya kalkışan Muaz b. Cebel'e Hz. Peygamber'in tavsiye buyurduğu sûrelerin her biri yarım sayfalık sûrelerdir. Ve Bakara'yla karşılaştırıldıklarında, kısa sûreler oldukları tartışmasızdır.

Diğer taraftan, şu da tartışmasızdır: "Kolaylaştırın, zorlaştırmayın" buyuran Resûl-i Ekrem'in (a.s.m.) 'kolaylık' örneği olarak verdiği sûreler iki veya üç satırlık sûreler de değildir.[25]

Oysa bugüne baktığımızda, çok az imam cemaatle kılınan namazlarda her iki rekatte yarım sayfalık bir sûre okumaktadır.

Çoğu imam, iki veya üç satırlık bir sûreyi veya üç satırı geçmeyen birkaç âyeti okumakla yetinmektedir.

İhtimal, bu, imamların kabahati de değildir. İmam, Hz. Peygamber'in Muaz'a tavsiye buyurduğu yarım sayfalık kısa sûreleri okuyacak olsa, muhtemelen, sağdan soldan kulağına "Bu imam da namazı çok uzatıyor; çok uzun kıldırıyor!" kabilinden şikâyetler gelecektir. Dahası, bu şikâyetlerin arkasına meşhur hadis de eklenecektir: "Kolaylaştırın, zorlaştırmayın." Denilecektir ki: Peygamber böyle buyurduğu halde, imam zorlaştırıyor!

Bu tablonun gösterdiği üzere, Asr-ı Saadette 'zorluk' ölçüsü iki cüz iken, şimdi yarım sayfaya düşmüş; Asr-ı Saadette 'kolaylık' ölçüsü yarım sayfa iken şimdi iki satırlık bir sûreye, hatta tek bir âyete inmiştir. Heyhat! Resûlullah aleyhissalâtu vesselamın 'kolaylık' diye gösterdiği şey bile bugün bize 'zor' gelmektedir.

Bu bakımdan, Resûl-i Ekrem'in (a.s.m.) "Kolaylaştırın, zorlaştırmayın" dediğini elbette akılda tutmamız, ama onun "Yozlaştırın" demediğini de akıldan çıkarmamamız gerekiyor.

Aksi takdirde, 'kolaylaştıran'lardan olayım derken 'yozlaştıran'lardan olma tehlikesi bizi kapıda bekliyor.

Yönelişin adresi

BİR HADİS-İ KUDSÎDE, Resûl-i Ekrem'e hitaben, "Sen olmasaydın, âlemleri yaratmazdım" buyurulur.[26] 'Her cemal ve kemal sahibinin kendi cemal ve kemalini görmek ve *göstermek* istemesi' hakikati temelinde izahı gereken manidar bir kudsî hadistir bu. Gelin görün ki, ne burada hususan bu konuyu ele almayı düşünüyoruz; ne de bu konuya hakkını verecek bir kalbî ve fikrî olgunluğun sahibiyiz.

Bazı kaynaklarda, hadis-i kudsî ile bize haber verilen bu ilâhî hitaba Resûl-i Ekrem'in (a.s.m.) verdiği belirtilen cevap da manidardır. "Bu âlemleri senin için yarattım" anlamında, "Sen olmasaydın, âlemleri yaratmazdım" diyen Zât-ı Zülcelâl'e hitaben Resûl-i Ekrem'in (a.s.m.) mukabelesi, bir rivayete göre, şudur: "Ben de bu âlemleri Senin için terkettim."[27]

Vâkıa, billur gibi şeffaf ve parlak hayatının belgelediği üzere, Hz. Peygamber aleyhissalâtu vesselam bu dünyadan O'na giden ve O'nu tanıtan herşeyi almış; ama bu dünyanın posasına asla yatırım yapmamıştır.

Nitekim onun ne şöhret olma derdi vardır, ne zengin olma sevdası, ne de iktidar hastalığı. Mekke müşrikleri kendisine "Ne istersen verelim; malsa mal, kadınsa kadın. İstediğin oysa, seni başımıza kral yapalım" teklifiyle geldiklerinde, o, "Ben de şu âlemleri Senin için terkettim" dediği belirtilen bir zât olarak, yüreğinin ta derinliklerinden kopup gelen şu cevabı vermiştir: "Bir elime güneşi, öbür elime ayı verseniz bile vazgeçmem."

Zât-ı Zülcelâl'in mutlak rububiyetine karşı küllî bir ubudiyet çizgisinde, bırakın küçük kazançlar uğruna küçük tavizler vermeyi, 'iktidar' gibi zahiren en büyük bir kazanç önüne sunulduğu halde zerre miskal taviz vermemiştir o. Rabbinin rızasına aykırı en küçük bir hareketin karşılığı ay ve güneşin sahibi olmak olsa dahi, O'nun yolundan zerre miskal şaşmayacağını bildirmiştir. Ama, o eşyanın posasını, dünyanın maddî yüzünü mülk ve melekûtun Mâlik-i Hakikîsi adına öylesine net bir biçimde terkettiği içindir ki, güneş de, ay da ona musahhar kılınmıştır. Meselâ, o ümmî nebî (a.s.m.) hayatında bir kez 'elif' yazmış; parmaklarının yazdığı o elif hatırına koca ay iki parçaya ayrılmıştır!

Mekke müşriklerine "Bir elime güneşi, öbür elime ayı verseniz bile vazgeçmem" diyen insanın eline, ay da, güneş de verilmiştir—ama, onları vermeye gerçekten kâdir olan Zât-ı Zülcelâl tarafından.

"Şu âlemleri Senin için terkettim" diyen insana, mazhar olduğu mucizelerin belgelediği üzere, tüm âlemler musahhar kılınmıştır.

İktidara beş para değer vermeyen; "Melik nebî değil, kul nebî olmak isterim" diyen zâtın davetine az zamanda Mekke'nin de kapıları açılmıştır; Mısır'ın, Bizans'ın ve İran'ın kapıları da.

Şu dünyada yamalı hırkayla yaşamaktan yüksünmeyen zâtın yamalı bir hırkası dahi, tarih boyu, en büyük padişahın en ziyade mücevher işlemeli kaftanından daha fazla değer taşımış; kuşaktan kuşağa altın mahfazalar içinde aktarılmıştır.

En büyük bir zenginin dünyanın en pahalı modaevinden alınmış elbisesi dahi o kişi öldüğünde atılacak çöplük arar, zira 'ölü elbisesi' olarak kimse onu giymeye yanaşmazken; onun değil hırkası ya da şalı, mübarek sakalının her bir teli dahi eşsiz bir hazine olarak saklanmaktadır.

Dünya, dünyayı isteyene değil, dünyayı Rabbi adına terkedene musahhar kılınmıştır.

Elbise meraklılarının en pahalı elbiseleri beş para etmez, bedava bile rağbet görmez hale gelirken, onun en sade kumaştan en gösterişsiz elbisesi, halen dahi yeryüzünün en pahalı, daha doğrusu 'paha biçilmez' elbisesi hükmündedir.

O, Mekke'de hakarete, Taif'te taşlanmaya, Medine'de nifak ve ihanete şahsı adına üzülmeyip, şahsına gelen her kötülüğe Rabbinin dini adına tahammül ettiği; 'şöhretime halel gelecek' türünden düşüncelere bir gün bile kapılıp gitmediği için de, bindörtyüz yıldır en ziyade bilinen, en ziyade anılan, en ziyade tanınan insan odur. Her gün yüz milyonlarca ehl-i salât mü'minin ettiği salât ve selâmlar, bu bilinme ve anılmanın ibretli ve hikmetli bir delilidir.

Bu vâkıa karşısında, bizim alacağımız bir ders yok mudur?

Hadisenin kendisi, hiçbir yoruma ihtiyaç bırakmaksızın, neyin ne olduğunu ve bizim nerede durmamız gerektiğini apaçık gösteriyor.

Ayrıca, insan yine ondan rivayet olunup ayrı hadis külliyatlarında farklı versiyonlar ile zikredilen şu mealdeki hadis-i şerife kalbini açınca, olduğumuz yerin hakikî vaziyeti ile olmamız gereken yerin adresi berrak bir şekilde beliriyor:

"Kimin hicreti Allah'a ve Resûlüne ise, onun her işine Allah ve Resûlü yeter. Ve kimin hicreti bir dünyalığa veya bir kadına ise, Allah onun hangi vadide helâk olduğuna aldırmayacaktır."[28]

Alenîlik

KUR'ÂN-I HAKÎM'İN EN AĞIR günahlardan birinden insanı sakındırırken kullandığı ifade manidardır. İsrâ sûresindeki ilgili âyet, "Yapmayın" diye emretmez. Onun yerine, "Yaklaşmayın!" emrini verir.

"Yaklaşmayın" emri, 'yapmayın' mânâsını elbette içerir. Ama ondan daha fazlasını ihsas eder. Bu ihsasıyla insana manen der ki: Günaha giden yolda, deyim yerindeyse, bir 'çekim alanı' vardır. Belli bir eşiği geçtikten sonra insan o çekim alanının etkisine girer. Ve, kalbi istemediği, vicdanı ise itirazını sürdürdüğü halde o günaha düşer. O halde, yapmamak için, yaklaşmamak gerekir.

Zaten, vâkıa budur.

Hiçbir mü'min, düştüğü günaha, günah işliyorum diye keyif alarak girmez. Yapmaya yeltendiği şeyin günah olduğunu bildiği ve bir günaha yelteniyor olmasından dolayı kalb ve vicdanı üzüntü duyduğu halde, üstelik hoşnutluğunu yitirip gadabını celbediyor olduğu için Rabbine karşı kendisini mahcup ve suçlu hissediyor olmasına rağmen günaha düşer. Ama, düşer.

Ve günahtan sonra, o anlık nefsanî hazzın yerini vicdanın derin iç sızısı alır. Aklı nihayet başına gelen mü'min kendi kendine sorar: "N'aptım ben?"

Bu noktadan sonra yeni bir imtihan başlar. İşlediği günahı içinde gizlemek onu rahatsız eder. İtiraf ihtiyacı hisseder. İtiraf, işlediği günahın kirini içinden söküp atmasını sağlayacak gibidir.

Yeni bir imtihan, bu noktada başlar. İtirafın adresi neresi olacaktır? Günahını itiraf etmelidir de, kime etmelidir?

Yeniden, bir tercihle yüzyüzedir insan: Günahını ya Semî-u'l-Basîr olduğu kadar Gafûru'r-Rahîm de olan Rabbine itiraf edecektir, yahut başkaca insanlara... İtirafı ya Hakka yönelecektir, yahut halka.

Tam da bu noktada, karşımıza manidar bir hadis çıkar: "Resûlullah aleyhissalâtu vesselam buyurdular ki: Ümmetimin hepsi affa mazhar olacaktır; günahı alenî işleyenler hariç."

Hadisin devamı, 'günahı alenî işleme'nin 'herkesin gözü önünde günah işlemek'ten daha geniş bir anlamı olduğunu bildirir: "Kişinin geceleyin işlediği kötü bir ameli Allah örtmüştür. Ama, sabah olunca o: 'Ey falan, bu gece ben şu şu işleri yaptım!' der. Böylece o, geceleyin Allah kendini örtmüş olduğu halde, sabahleyin, üzerindeki Allah'ın örtüsünü açar. İşte bu, günahı alenî işlemenin bir çeşididir."[29]

Bu hadisin apaçık söylediği üzere, insan işlediği günahın itirafını 'istiğfar' suretinde, yani Cenab-ı Hakka karşı yapmalıdır. Halini yalnız ve bizzat O'na arzetmelidir. Bu, onu geçmiş günahın kirinden arındırıp affa mazhar kıldığı gibi, günahını halka itirafın getireceği müthiş bir tehlikeden de alıkoyar. Ki, günahını halka itiraf edenin aftan mahrum kalmasına yol açan da işte bu tehlikedir.

Bu tehlike şudur: İşlenen günahın itirafının Cenab-ı Hakka değil de halka yapılması, günahın normalleşmesine yol açar.

İtirafları duydukça, insanlar, "Aaa, demek bu günah da işlenebiliyormuş" diye düşünmeye başlarlar. Hele, ummadıkları bazı kişilerden bu günahın sâdır olduğunu duyduklarında, "Hımm, falanca bile böyle bir günaha düşebildiğine göre..." deyip, kendilerinin bu günahla hemhal olmasının son derece normal olduğu düşüncesi akıllarına yerleşir. Böylesi düşünceler ise, işlenen günahı normalleştirerek, onun işlenebilirlik potansiyelini arttırır.

Günah hali, bu bakımdan, şuyûu vukuundan beter bir haldir. Çünkü şuyûu vukuunu arttırmaktadır. Filanın falan günahı işlediği şayiasının yayılması, falan günahı işleyen filanları çoğaltmaktadır.

Böylesi bir umumî hikmete binaen, Rabb-ı Rahîm günahı işleyen insanın işlediği günahı anlatmasını hoş karşılamamış; Resûlü aracılığıyla insanları 'günahını halka anlatma' konusunda uyarmıştır.

İnsanın kendi işlediği günahı anlatması bile Allah ve Resûlü tarafından hoş karşılanmazken, başkalarının günahını gözetleyip yaymanın ne kadar kerih düştüğü, apaçık ortadadır.

Kudsî nebî, ne de güzel buyuruyor:

"Kendiniz efendiler imişçesine insanların günahlarına bakmayın. Bilakis, kullar olarak, kendi günahlarınıza bakın. Çünkü insanlar belaya maruzdur. Bela sahiplerine merhamet edin. Mazhar olduğunuz afiyete de hamd edin."[30]

Uğursuz bir düşünce: uğursuzluk!

DUYGU VE RUH İKLİMİNDE gün boyu yaşadığı değişim ve dönüşümlere baksa, günde belki yüz bin suret değiştirdiğini, anının anını tutmadığını, hüzünlü bir halde iken hoş bir hatıranın sevkiyle sevince, sevinçli bir halde iken tek bir kelime veya bakış yüzünden karamsar bir iklime doğru kolayca yol alabildiğini görür insan.

Binlerce duyguyla donanmış, ince, narin ve nazik bir mahluk olan insan, bu inceliğinin kaçınılmaz sonucu olarak bir o kadar kırılgan, hassas ve incinebilir durumdadır. Tek bir kelime, tek bir bakış, bir hatıra, bir görüntü, bir olay onu o an içinde olduğundan tamamen farklı, hatta zıt bir iklime sürükler ve insan gün boyu bu salınımlar içerisinde yaşar durur.

Genel halimiz bu olmakla birlikte, bazan kalıcı bir huzursuzluğun, bir iç sıkıntısının içimizi kapladığı da olur. Zaman olur, 'kötü şeyler olacağı' yönünde bir beklenti, saatler, hatta günler boyu yakamızı bırakmaz.

Bu, özellikle de, yeni bir işe girişeceğimiz, yeni bir yola koyulacağımız, yahut bir yolculuğa çıkacağımız zamanlarda böyle olur.

Hele bir de o sıralar görülmüş bir rüya da içimizi kemiren bu 'kötü şeyler olacak' duygusunu besliyorsa, yahut içimizdeki sıkıntıya paralel olarak kulağımıza gelmiş bir söz varsa, yaşadığımız o hale veya koyulacağımız o yola dair evvelce varid olmuş huzursuzluk verici söylentiler sözkonusuysa, içimizdeki 'kötü şeyler olacak' duygusu, bizi yolumuzdan, işimizden, teşebbüsümüzden vazgeçmeye bile zorlar.

Uğursuzluk düşüncesidir bu... Girişilecek işte, gidilecek yolda bir belanın var olduğu, pusuya yattığı ve bizi beklediği düşüncesidir.

İleride hangi belanın bizi nasıl beklediği sorulsa, cevap veremeyiz gerçi. Çünkü buna mâkul bir açıklama getirme imkânımız yoktur. Ama bu işte aklın boyun eğdiği bir nokta gene de vardır: Bu dünya 'indetermine' bir dünyadır, hiçbir şey kararında değildir, hiçbir şeyin garantisi yoktur, her an herşey olabilir, olmaz olmaz denilemez, olmazlar olabilir.

Dolayısıyla, herşey için, "Ya olursa? Ya gerçekten öyleyse?" sorusu eşliğinde bir uğursuzluk düşüncesi kolayca gelip akla ve kalbe yerleşebilir.

Bu düşüncenin gelip akla ve kalbe tavattun etmesi ise, gerçekte, Allah'ın kudret, ilim ve rahmetinin herşeyi kuşattığı gerçeğinin—aklen ve kalben kabul edilmiş olsa bile—özümsenmemiş ve sindirilmemiş olmasından dolayıdır. Her ânın ve her şeyin O'nun taht-ı tasarrufunda olduğunun ve O'ndan gelen her şeyde, o şey zahiren şer gözükse bile bir hayır, hikmet ve güzellik bulunduğunun anlaşıldığı ölçüde, bu düşünce akla gelse bile geldiğiyle kalacak, girip akla ve kalbe yerleşmeyecektir.

Hayatının her anını kendini Rabbine teslim ederek yaşayan, "Muhammed'in nefsi Elinde Olana yemin ederim ki..." yeminiyle meşhur, bir musibet anında "Elhamdülillahi alâ külli hal" diyebilmesiyle mâruf Muhammed-i Arabî aleyhissalâtu vesselam da insana ârız olan bu durumu çevresinde gözlemlemiş olmalı ki, "Uğursuzluk düşüncesi bir Müslümanı yolundan alıkoymasın"[31] buyurmuştur sahabilerine.

Abdullah b. Mes'ud'un bildirdiğine göre, o kudsî nebî, herhangi bir olaydan, yerden, kişiden veya eşyadan uğursuzluk çıkarmak konusunda, üstüne basa basa, "Uğursuzluk çıkarmak şirktir, uğursuzluk çıkarmak şirktir, uğursuzluk çıkarmak şirktir"[32] demiştir bir keresinde...

Kudsî nebî, bir rahmet peygamberi olarak, şu istisnaî kaydı da düşer: kişinin iradesi haricinde gelen ve akıl ve kalbinin itiraz ettiği uğursuzluk tevehhümü hariç! Hadisin devamından anlaşıldığı üzere, mü'minin kalbine 'uğursuzluk' vehmi gelir, ama bu asla bir 'düşünce'ye, kalbde yer etmiş sabit bir karara dönüşmez. "Bizden kimsede bu yoktur. Allah onu tevekkülle giderir."

Yanında uğursuzluktan bahsedilirken, "[Uğursuzluk düşüncesi] bir Müslümanı yolundan alıkoymasın" buyuran Efendimizin, bu halin panzehiri olarak tavsiye ettiği dua da, bu bakımdan hayli manidardır:

"*Allâhümme lâ ye'ti bi'l-hasenâti illâ ente ve lâ yedfe'u's-seyyiâti illâ ente ve lâ havle ve lâ kuvvete illâ bike.*" (Allahım! Hayrı ancak Sen verebilirsin, kötülüğü de ancak Sen defedebilirsin. [Muhtaç olduğumuz] havl ve kuvvet de ancak Sendendir.)[33]

Onun, ümmetinden sorgusuz cennete girecekleri haber verdiği bir hadisinde 'uğursuzluğa inanmama' ve 'Rablerine tevekkül'ü bu insanların özellikleri arasında zikretmesi[34] de manidardır.

Açıkçası, uğursuzluk düşüncesinin bir kuruntu, bir zan olarak içimize gelmesi, ancak geçmeyip yerleşmesi, eşyaya ve olaylara bakışımızda imanî bir temeli tesis edip edemeyişimizle ilgilidir. İnsan, eşyayı ve olayları O'ndan bilemediği oranda uğursuzluğa düşer; O'ndan bilip O'nun her işinde hayır ve hikmet görebildiği oranda da bu tevehhümü başından savar.

Diğer taraftan, uğursuzluk düşüncesinin insanı insan olarak âtıl bırakan, vehim ve vesveselerin esiri yapan bir boyutu da vardır. Uğursuzluk düşüncesi, bizi bir işi yapmaktan alıkoyar, yola koyulmaktan vazgeçirtir. Ki, o işe girişsek veya o yola çıksak, belki gerçekten başımıza birşey gelecektir. Ama, o yolda bir uğursuzluk olmadığı halde gelecektir. Nitekim Hz. Peygamber'in herhangi bir yolculuğa çıkarken o yolculuğun hayrını, gideceği yerin ve döneceği yerin hayrını Allah'tan dileyip yolculuğun şerrinden O'na sığınması bu hikmete binaendir. Fakat, bir işte veya bir yolda uğursuzluk vehmedip yola koyulmayan insan, hayatı boyunca düşebileceği en tehlikeli yola sürüklenmiş demektir—vehimlerin onu yönettiği, şeytanın kulağına üflediği vesveselerin ufkunu karalttığı bir yola...

Ki, böylesi bir yola düşüp mâkul düşünemez yahut düşündüğü şeyi yapamaz hale gelen; daima evhamlı ve daima huzursuz çok sayıda insan bulunmaktadır.

Vehimlerin yönettiği bir hayatın uzağında olabilmek için, uğursuzluk düşüncesini başımızdan savmak şarttır.

Bu düşünceyi başımızdan savabilmek ise, kökü sapasağlam bir imana dayanan bu nebevî hadisi hatırda tutmayı ve bu sözün sahibi kudsî nebînin yolunda sapasağlam bir imanla kuşanmayı gerektirmektedir.

O halde ne duruyoruz?

Düşelim yola...

Yakînin anahtarı

ALLAH'A ŞÜKÜR, BUGÜNE KADAR, netice itibarıyla semereli ve bereketli olmayan tek bir musibet yaşamadım. Rabbimin yüzyüze bıraktığı her musibet yaşandığı anlarda beni müthiş gönül acıları içinde bıraksa da, hayatımın en verimli ve en anlamlı anlarının o musibet anları olduğunu söyleyebilirim. O kadar ki, bizler musibet anlarının bereketiyle yaşıyoruz gibime geliyor.

İnsan, hem kendi aczini, hem o an sukut ettiği apaçık görülen bütün sebeplerin aczini musibet esnasında bihakkın anlıyor; ve 'yaratılmış olan'ların aczini anladığı ölçüde Yaratana sığınıyor. Musibetin uzağımıza düştüğü anlarda kolayca üzerimize çöken gaflet karabasanından da, yine o musibet anlarını hatırlayarak kurtuluyor.

Bu bakımdan, Kur'ân kıssalarını, hususan peygamberlerin başına gelenleri okurken açıkça görüyoruz ki, onlar için zahiren en karanlık gözüken anlar, gerçekte Rablerine en ziyade yakın oldukları anlardır. Nemrut'un külhanları karşısında İbrahim (a.s.), Firavun'un ordusu peşinde iken Musa (a.s.), kavmi kapısına dayanmışken Lût (a.s.), Tufan hengâmında Nuh (a.s.), çölde yapayalnız iken İsmail (a.s.), kapkara zindanlarda iken Yusuf (a.s.), balığın karnında Yunus (a.s.) derken, musibetin büyüklüğü nisbetinde ders-i imanînin ve de lutf-u Rabbânî'nin büyüdüğünü görüyoruz. Ki, Yunus aleyhisselamın miracının balığın karnında iken, İbrahim aleyhisselamın miracının ateşe atılırken, Muhammed-i Arabî aleyhissalâtu vesselamın miracının ise Hüzün Yılından sonra ve Mekke'nin onun açısından en tekinsiz olduğu sırada gerçekleşmesi manidar olsa gerek...

Öte yandan, İslâm âlemini ondört asırdan beri aydınlatan nuranî şahsiyetlerin köşklerde veya saraylarda rahatla yaşayan insanlardan ziyade türlü çeşitli musibetlere maruz kalmış insanlar olması da bana manidar gözüküyor. Sahabilerden başlayarak tâbiîne, tebe-i tâbiîne ve sonraki selef-i sâlihîne uzanan çizgi hep bu minvalde seyrediyor. Hz. Ali'den Bediüzzaman'a, Hz. Hasan'dan İmam-ı Rabbanî'ye, Hasan-ı Basrî'den Cüneyd-i Bağdadî'ye... çizgiyi nereden alıp nereye uzatırsanız uzatın, karşınıza bu gerçek çıkıyor. Musibet, imanlı sinelerin imanını kuvvetlendiriyor, arttırıyor, pekiştiriyor. Said Nursî örneğinde olduğu gibi, Esma-i Sitte Risalesi misali en parlak risaleler, musibet anlarının ubudiyet talimi esnasında doğuyor ve gelişiyor.

Bunu bir vâkıa olarak böyle bildiğim için, "Belânın şiddetlisi peygamberlere, sonra velîlere [Allah dostlarına], sonra onlara ve onlara [peygamberlere ve velîlere] benzeyenleredir"[35] şeklindeki hadisi, ilk okuduğumda, peşinen tasdik etmiştim. "Peki, vâkıa neden böyledir?" sorusunun cevabını ise, bir musibet anında o musibetin âcil bir meyvesi olarak öğrenmiş oldum.

Vâkıa buydu; zira yakîn mertebelerinde yol almak, meselâ ilmelyakîn bildiğini aynelyakîn görmek ve hakkalyakîn zevketmek, ancak musibetlerin tahrikiyle oluyordu. "Hastalık Allah'ın kamçısıdır. Kullarını onunla terbiye eder"[36] hadisinin de ihsas ettiği gibi, kulun 'kemal-i iman'a uzanan yolculuğu, musibetlerin talimiyle gerçekleşiyordu. İlkokul öğrencisi ile üniversite öğrencisine, hatta üniversite öğrencisi ile doktora öğrencisine sorulan sorular bir olmadığı; kabiliyet arttıkça sorular da zorlaştığı gibi, ubudiyet zirvesine ulaşma istidadı büyük olanlar daha ağır musibetlerle daha ileri bir iman dersine sevkediliyordu.

Bunu, yirmi yıldır ilmelyakîn öğrendiklerimi aynelyakîn anlama fırsatını bulduğum bir hengâmda musibetin tam orta yerinde duran ve dolayısıyla ilmelyakîn bildiği pek çok şeyi belki hakkalyakîn kavrayan bir mü'min kardeşimi izlerken farketttim. İmansızları ya da imanı zayıfları ucuz, haksız ve insafsız isyanlara sevkeden ağır bir musibet hengâmında onun iç dünyasında Rabbine doğru açılan yolların derinliğini ve genişliğini farkettikçe, "Elhamdülillahi alâ ni'meti'l-iman!" dedim.

İman öyle bir iksir ki, gecelerden gündüz, karanlıklardan nur, ölü hallerden dipdiri hakikatler, musibetlerden ise yakîn çıkartıyor...

İkinci Bölüm

Yaşadığımız günlere dair

Amaçlı alışveriş!

ÇAĞDAŞ MEDENİYETİN GÖRÜCÜYE çıktığı yer olarak Amerika'ya yolu düşen herkes, bu ülkeye ve bir bütün olarak çağdaş medeniyete rengini veren en önemli unsurun ne olduğunu kolaylıkla görür. Bu diyarda, bir şehirden bir diğer şehre giderken yol boyu karşınıza çıkan ve her biri yüzlerce dönümlük araziye yayılmış alışveriş merkezleri, modern dünyada bir numaralı değerin 'tüketim' olduğunu haykırır durur.

Bunu anlamak için Amerika'ya kadar gitmeye de gerek yoktur aslında. Amerikan tarzı hayatı bütün bir dünyaya seyrettiren sinema filmleri veya TV dizileri, çılgınlık düzeyinde bir tüketim manzarasını evimizin içinde gözümüzün içine sokmaktadır zaten. Bu diyarı kendi gözünüzle gördüğünüzde yaşadığınız duygu ise, filmlerde gördüğünüz şeyin abartı değil gerçek olduğu duygusundan ibarettir.

Modernitenin görücüye çıktığı diyarda tüketim çılgınlığı o boyuttadır ki, hemen her zaman insanları tüketime teşvik için bir gerekçe mevcuttur. İnsanları tüketime sevketmek üzere planlanmış günler vardır sözgelimi. İnsanları tüketime sevkedecek böylesi günlerin olmadığı zamanlarda ise, kampanyaların ardı arkası kesilmez. 'Sürpriz fırsatlar,' 'sürpriz indirim'ler, 'iki al bir öde' kampanyaları, 'şimdi parasını tam ödeyip iki ay sonra bu paranın yarısını geri alma' türünden kampanyalar... akla hayale gelmedik daha bin türlü yol ile, insanlar tüketime yönlendirilir. Öyle ince, öyle ayartıcı tüketime teşvik kampanyaları yapılır ki, elde ettikleri kârı azamîleştirmek için nazarları dünyaya teşvik uğruna bu kampanyaları tasarlayanların, bu aklı ve bu zekâyı âhiret için ve maneviyat yolunda kullanabilseler büyük velîler hanesine yazılacağını düşünür insan.

Velhasıl, modernitenin ve kapitalizmin gözde diyarında, bir ürünü satmak için istimal olunan yolların 'suiistimal'i hatıra getirdiği nice usul vardır. 'Suiistimal'i en ziyade akla getiren görüntülere ise, insanları tüketime teşvik için mecraından saptırılan günlerde, özellikle de Şükran Günü ve Noel esnasında rastlanır. Kasım'ın sonunda Şükran Günü, Aralık'ın sonunda ise Noel vardır. Ve bu zaman aralığı, bu diyarda insanların Allah'ı en çok düşünüp O'na en ziyade hamd, şükür ve ibadet ettiği zamanın ifadesi değildir. Bilakis, yılın en büyük tüketim çılgınlığı bu dönemde yaşanır. Dinî hassasiyetlerin ön plana çıkması umulan bir zaman diliminde, tüketim çılgınlığı had safhadadır. Yine, kendilerine kutsallık izafe edilen Paskalya ve benzeri günler ve bayramlar, dinî içeriğinden soyundurulup tüketim çılgınlığının mezesi haline getirilmiştir. Ortadaki manzara, bu satırların yazarına ibadet anlamına gelen 'worshipping'i alışveriş anlamındaki 'shopping'le mezcedip 'worshopping' diye bir kavram ürettiren bir manzaradır. Zira, insanlar sözümona 'ibadet' vesilesi olacak günleri 'ibadet bahane, alışveriş şahane' denklemine indirgemişlerdir.

Amerikan sahnesindeki bu durum Amerika'yla sınırlı kalsa, insan belki bir derece müsterih olabilir. Oysa, *Avrupa'yı Düşünmek* yazarı Edgar Morin'e, 'Amerikan değerlerinin istilasından nasıl kurtulabiliriz? Bilhassa, Amerikanizmin herşeyi ticarîleştirip metalaştıran niteliğine nasıl karşı koyabiliriz?' kabilinden sorular düşündüren bir durumdur bu.

Modernitenin Amerika sahnesinde yaşananlar, dünyanın her tarafında Amerikan değerlerinin hayranı ve gönüllü tüketicisi durumundaki ülkeler ve kesimler için de geçerlidir. Bu anlamda, Amerikan tarzı hayat ve Amerikan tarzı tüketim, küreselleşmiş bir gerçek halindedir. Dünyanın her yerinde, bu arada Türkiye'de sayıları giderek artan süper, hiper, ultra marketler ve alışveriş merkezleri, bu küresel gerçeğin bir izdüşümüdür nitekim. Sabahleyin girenin tamamını gezmeye akşama dek güç yetiremediği bu dev alışveriş merkezleri, dünyanın her tarafında yüz milyonlarca insana bugün 'ona da bakayım, bunu da göreyim' dedirtir; ve bugünün bu hevesi yarın 'onu da alayım, bunu da giyeyim'e dönüşüverir.

Sonuç, bir türlü denkleştirilemeyen aile bütçeleridir. Alınan onca şeye rağmen alınacak daha bir sürü şeyin kalmasıyla gelen doyumsuzluk, şükürsüzlük ve mutsuzluktur. İnsanın gerçekten ihtiyacı olan şeyler belli ve sayıca sınırlı iken, binlerce metaın gerçekte ihtiyaç olmadığı halde insan arzu edip canı çektiği için ihtiyaca dönüşmesidir. Hâfıza arşivine her gün yenileri eklenen onbinlerce meta arasında insanların gözünün sürekli dünyaya ve dünyalıklara dönük hale gelmesidir. Daha fazla tüketebilme imkânını nasıl edinebileceğini düşünmekle meşgul sürülerin, bu dünyada kendinden başkasını düşünemez ve dahi bu dünyadan ötesini düşünemez hale gelişidir.

Sadece ABD'de veya sadece Batıda değil, dünyanın her tarafında olan şey budur. Tüketenler, insaniyeten tükenişe geçmektedir.

Ancak, tam da bu noktada insanın aklına gelen bir itiraz sözkonusudur. Hele hele 'hep alışveriş yapan'ların aklına çabucak gelen bir itiraz: Peki, hiç alışveriş yapmayacak mıyız?

İnsanı ve kâinatı yaratan âlemler Sultanının Kelâm-ı Ezelî'sinde bizim için 'en güzel örnek' olarak sunduğu Hz. Peygamber'in Medine'ye hicretinden sonra yaptığı ilk iki iş, bu soruya mâkul bir cevap bulmayı mümkün kılar. Hz. Peygamber, Medine'ye geldiğinde ilk iş olarak Mescidin yerini tayin etmiş ve Mescidin inşaatına başlanmıştır. İkinci iş, Medine çarşısı için yer tesbiti ve çarşının tesisidir.

Hemen hatırlatalım: Medine'de hiç çarşı olmadığı için bu çarşı kurulmuş değildir. O şehirde yaşamakta olanların, bu arada Yahudilerin alışveriş için kurdukları, Nebit çarşısı gibi çarşılar el'an mevcut olduğu halde Resûl-i Ekrem aleyhissalâtu vesselam yeni bir çarşı kurdurtmuştur. Ve bu nebevî tavır, elbette manidardır.

Hz. Peygamber'in Medine'de Mescidin inşasından sonra Medine çarşısının tesisi üzerinde durması, alışveriş denilen şeyin fıtrî olduğunu, fıtrî ve insanî bir ihtiyaca karşılık geldiğini ve bu ihtiyacın karşılanması zaruretini gösterir elbette. Gelin görün ki, Medine'de Mescidden sonra çarşı kurdurtan Hz. Peygamber, "Allah'ın en çok sevdiği yerler mescidlerdir. Allah'ın en ziyade nefret ettiği yerler de çarşı ve pazarlardır" sözünün de sahibidir.[37] O, mübarek ağzından dökülen dua sayesinde yaşça, malca ve evlatça ömrü bereketlenen genç hizmetkârı Enes b. Mâlik'e, ettiği bu duanın yanısıra şunu da tavsiye etmiştir: İleride—o dönemin en müreffeh mekânları olarak—Basra ve Busayra'ya yerleşmeyi düşünecek olursan, limanından, çarşısından, ümera kapısından sakın![38] Selman-ı Farisî radıyallahu anhın bildirdiğine göre ise, Resûl-i Ekrem aleyhissalâtu vesselam kendisine şunu söylemiştir: "Elinden geliyorsa, çarşıya ilk giren olma. Oradan son çıkan da olma. Çünkü çarşı, şeytanın savaş verdiği yerdir, bayrağı da orada dalgalanır."[39]

Buna göre, Hz. Peygamber'in Medine'de mü'minler topluluğu için önce mescid, sonra çarşı inşa ettirmesi alışverişin önemini ve değerini belgelediği gibi; çarşı pazarda dolaşmaya dair bu hadisler de insanların nazarını semadan alıp dünyaya indiren ve ehl-i dinin ya fiilen ya manen ehl-i dünyaya boyun eğmesine sebep olan tüketim hırsına gem vurmayı öğretmektedir.

Bu hadislerin, özellikle de Selman-ı Farisî'nin bildirdiği nebevî tavsiyenin öğrettiği odur ki, insan çarşıya veya pazara amaçlı ve hedefli bir biçimde gitmelidir. Ne alacağını, neye ihtiyacı olduğunu önceden belirlemiş şekilde alışverişe çıkmalıdır. Ve en önemlisi, almayı planladığı şeyleri alıp ihtiyacını gördükten sonra, alışveriş mahallinden ayrılmalıdır. Ancak bu takdirde alışveriş ihtiyaca göre yapılıp tadında bırakılmış olur.

Yok eğer çarşıya 'ilk gelip son giden'lerden olunursa, 'bir de şuna bakayım'ların işin içine girmesi kaçınılmazdır. Bunun kaçınılmaz sonucu ise, 'hâcât-ı gayr-ı zaruriye'nin 'hâcât-ı zaruriye' haline gelmesi; arzu ve hevesin ihtiyaca dönüşmesidir.

Bu girdaba girilince de, akıbet, insanın tüketim şeytanının elinde oyuncak olması, Rabbini tanımaya adanmış onca donanımını ihtiyaç gibi algılanan ve bir türlü bitmek bilmeyen arzularını tatmin peşinde harcamasıdır. Ki bu durum, insanı 'eli delik' ahir zaman deccalının esiri olup iki yakasını biraraya getiremeyen ve 'yiyip de doymayan'lardan[40] kılacaktır.

Kim bu girdabın uzağında olmak istiyorsa, alışverişi, alışveriş hadisinin gösterdiği çizgide yapmalıdır.

Bir denge turnusolu

CAN KULAĞIYLA DİNLEDİĞİ TAKDİRDE demir kalblileri dahi yumuşatacak bir belagat yüklü Hadîd sûresinin sonunda peygamberlerin birbiri ardısıra gönderilişi anlatılırken sıra İsa aleyhisselama gelir. "Ona İncil'i verdik" buyurur Rabb-ı Rahîm. "Ve ona tâbi olanların kalbine bir şefkat ve merhamet koyduk." Sonrasında, şu ifade vardır: "Bir de ruhbaniyet ki, onu onlar icad ettiler. Biz onu üzerlerine yazmamıştık." Âyet devamla onların bu ruhbanlığı 'ancak Allah'ın rızasını aramak için' icad ettiğini bildirir ve şu vâkıayı tesbit eder: "Sonra ona da hakkıyla riayet etmediler." Bununla birlikte, onlardan gerçekten iman edenlere mükâfatlarının verildiğini, ama 'çoklarının yoldan çıktığı'nı öğreniriz.

Hadîd sûresini her okuyuş veya dinleyişimde, bu âyete sıra geldiğinde, Hıristiyanlığın ikibin yıllık tarihi gelir gözlerimin önüne. Allah'ın helâl kıldığı nice şeyi kendilerine haram kılan ruhbanlık, ama bunun ardında yine O'nun rızasına bu şekilde daha yakın olacağı gibi bir düşüncenin olması, ve hazin sonuç:

"*Fe mâ raevhâ hakka riâyetihâ*" (Sonra ona da hakkıyla riayet edemediler).

Âyetin özellikle bu cümlesi beni derinden derine düşündürür. İçimden "Çünkü" diye geçiririm, "ruhbanlık Allah'ın bizi yaratmış olduğu hale, fıtrata denk düşmüyordu. Fıtrî olmadığı için de hakkıyla kabil-i tatbik olmadı, olamazdı da."

Bununla birlikte, yalnızca Hıristiyanlığa mahsus birşey de değildir ruhbanlık hâlet-i ruhiyesi. Her çağda ve her coğrafyada, insanın kendi kemalini bulmasının ruhbanlık gibi bir çizgiden geçmesiyle mümkün olacağı yönünde güçlü bir hissiyat hep var olmuştur. Eski Yunan'ın riyazetçi filozoflarından Uzak Doğunun Hindu ve Budist rahiplerine uzanan bir yelpazede bunun bir dizi örneği vardır. Her çağda ve her coğrafyada kimi insanlar, Allah'ın rızası veya fıtratlarının kemali uğruna, fıtratı zorlama cihetine hep gitmişlerdir.

Öyle ki, Saadet Asrında da, bu düşüncenin kalbine yerleştiği sahabiler olmuştur. Enes b. Mâlik'in bildirdiğine göre, bir gün, Hz. Peygamber aleyhissalâtu vesselamın zevcelerinin hanelerine bir grup erkek gelerek Efendimizin (a.s.m.) ibadetini sormuşlardır. Sordukları husus kendilerine açıklandığında ise, bunu Resûlullah için yeterli görseler de kendileri için az bularak, daha fazlasını yapmaya karar vermişlerdir. İçlerinden biri, "Ben artık hayatım boyunca bütün gece namaz kılacağım" demiş, bir diğeri "Ben de hayatım boyu hep oruç tutacağım, hiçbir gün terketmeyeceğim" diye söz vermiştir. Bir üçüncüsü, "Kadınları ebediyen terkedip, onlara hiç temas etmeyeceğim" kararına ulaşmıştır.

Ashâbın bildirdiğine göre, durumdan haberdar olduğunda o güne dek görmedikleri derecede hiddetlenen Hz. Peygamber aleyhissalâtu vesselamın söylediği söz manidardır: "Allah'a andolsun, Allah'tan en çok korkanınız ve yasaklarından en ziyade kaçınanınız benim. Fakat buna rağmen, bazan oruç tutar, bazan yerim; namaz kılarım, uyurum da; kadınlarla beraber de olurum. Kim benim sünnetimi beğenmezse benden değildir."[41]

Kısa bir süre önce, gerçekte çok eskilerden beri var olmakla birlikte ancak yeni ayyuka çıkan bir olguyla ilgili haberler yüzünden Amerikan toplumu sarsılırken, Hadîd sûresinin ve Hz. Peygamber'in ruhbanlık mantığı hakkında söyledikleri aklıma takıldı kaldı.

Haberler, ruhbanlık mantığıyla Allah'ın verdiği duyguların fıtrî ve helâlinden karşılık bulmasının adı olan evliliği kötüleyen bir eğilimin ardından kimi rahipler arasında zuhur eden eşcinsel eğilimleri ve cinsel tâcizleri bildiriyordu. 2002 yılının Şubat ayı sonlarından itibaren ABD'de önce yerel gazetelere konu olan, ardından *Newsweek* gibi dünyaca meşhur bir derginin kapak konusu haline gelen ve haftalar boyu televizyon kanallarının gündeminden inmeyen, *Time*'da ise başyazar Lance Morrow'a "Bunlar olacağına, şu rahipler evlenseler daha iyi olmaz mıydı?" diye yazdırtan, en sonunda Papa'nın bir açıklama yapmaya mecbur kaldığı bir olguydu bu.

Olay, o yılın Şubat ayı sonlarında, Boston'daki bir kilisenin rahiplerinden biri tarafından cinsel tacize uğrayan bir delikanlının ailesinin işin peşine düşmesi sonucu ilgili rahibin polis tarafından gözaltına alınmasıyla patlak vermiş; ardından, bu olayın 'ilk' ve 'son' olmadığı, yalnızca Boston'da son on yılda en az yetmiş rahibin böyle bir çirkin yola tevessül ettiği, ama Boston başpiskoposunun bunları bir şekilde örtbas ettiği anlaşılmıştı. Ardından, Amerika'nın başka eyaletlerinde, meselâ Connecticut'un Hartford ve Bridgeport şehirlerinde, Texas'ın Dallas şehrinde, Santa Fe, Tucson, Philadelphia gibi başka birçok şehirde benzeri olayların gerçekleştiği açığa çıkmıştı. ABD'nin sürekli çıkan en eski gazetesi *The Hartford Courant*'ın verdiği bilgiye göre, 1980'lerden beri 800'den fazla rahip küçük çocuk ve delikanlılara karşı böylesi bir işe bulaşmış durumdaydı. Bir kısmı mahkemeye intikal eden, bir kısmı mahkemeye intikal etmeden ödenen tazminatlarla kapatılan bu olaylar karşısında Kilisenin tazminatlar, tıbbî bakım ve psikiyatrik tedavi için harcadığı paranın ise 300 milyon dolar ile 1 milyar dolar arasında olduğu tahmin ediliyordu.

Bu olaylar zinciri, bir denge turnusoluydu bizler için. 'Dinde ve hayatta denge'nin Peygamber-i Zîşan'ın fıtratı zorlamayan, bilakis fıtratına uygun bir tekemmül metodunu insana sunan yoluyla mümkün olduğunu; onun sünnet-i seniyyesinin kritik önemini ve değerini insana bir kez daha düşündürmekteydi.

O ki, haramları helâl kılacak nefsanî oyunlardan uzak durduğu gibi, helâlleri haram kılacak determinist şartlanmaların da uzağındaydı. Dengenin ve istikametin adresiydi.

O ki, sünnetiyle fıtratın kemaline giden yolu gösterdiği gibi, fıtrata inat kemal bulmanın imkânsızlığına da ümmetinin dikkatini çekmişti:

"Kendinize zorluk çıkarmayın, zorluğa uğrarsınız. Zira bir kavim kendisini zora attı, Allah da zorluklarını arttırdı. Manastır ve kiliselerdekiler bunların bakiyesidir."[42]

Büyütmek, yetiştirmek

KELİMELER ARASINDAKİ KÜÇÜK nüanslar, çoğu halde, fikirler arasındaki büyük farklılıkları haber verir. Zahiren birbirine çok yakın anlamda düşünülen, hatta eş-anlamlı mütalaa edilen 'büyütme' ve 'yetiştirme' kelimeleri arasında da, büyük fikir ayrımlarını ele veren böylesi bir nüans vardır.

Çocuk büyütmek, esasen, çocuğun maddî ve fizyolojik ihtiyaçlarına bakar. Meselâ, çocuğu yedirmek, giydirmek, temizliğini yapmak, uyutmak kabilinden fiiller, 'çocuk büyütme' hanesinde yer alan fiillerdir.

Çocuk yetiştirmede ise, asıl olan, çocuğun fikrî, kalbî, ruhî gelişimidir. İnsaniyetini geliştirebileceği; insan olarak ona verilmiş kalb, akıl, ruh, duygular gibi kabiliyetleri inkişaf ettirebileceği bir çizgide çocuğa muhatap olmaktır.

Bu nüansla bakıldığında, yaşadığımız toplumda annelerin ve babaların çocuğa karşı sorumluluk duygusu 'büyütme' kısmında yoğunlaşmakta; 'yetiştirme' kısmı ise ya ihmal yahut başkalarına havale olunmaktadır.

Bunun en bariz göstergesi, çocuğun yetişmesi anne ile babanın müşterek görevi olduğu halde bu iş münhasıran kendisine bırakılan annelerin, çocuğu güzelce yediriyor, üstüne temiz elbiseler giydiriyor ise görevini tamamlamış insan rahatlığı taşıyor olmasıdır. Bu annelerin ekserisi, 'büyüme'ye ait bu görevleri gördükten sonra çocuğu ya sokağa salmakta yahut televizyonun karşısına bırakmaktadır. Böylece, annesinin elinde 'büyüyen' çocuk, sokakta yahut televizyon karşısında, daha sonra da okulda 'yetişmekte'dir.

Birçok aile için, vâkıa budur. Çocuğu 'büyütme'nin herşey olmadığı, işin asıl kısmının çocuğun 'yetişmesi'ne baktığı, çocuğa yönelik asıl mesainin bu yönde sarfolunması gerektiği, bunun ise çocuğa şahsiyetli bir biçimde muhatap olmaktan sağlam bir muhakeme aşılamaya, anadilini düzgün bir biçimde kavramasını sağlamaktan imanî ölçüleri çocuğun anlayacağı şekilde aktarmaya, arkadaş seçiminden konuşma biçimine, belli bir noktada yoğunlaşmaktan oyunu bittikten sonra eşyasını toplayıp sepete koymaya... kadar uzanan bir dizi unsuru içerdiği kesinlikle gözden kaçmaktadır.

O yüzden de, sonuçta karşımıza en ahlâksız hareket ve fiilleri televizyonda göre göre 'normal' olarak algılamaya başlamış; bir 'yetiştirme' değil 'ifsad' mekânı halini almış sokaklarda ağzı da, aklı da, ahlâkı da bozulmuş; silik, şahsiyetsiz, sürü misali, muhakemesiz nice insanlar çıkmaktadır.

Anne babalar ancak iş işten geçtikten, çocuk onbeş-yirmi yaşına geldikten sonra uyanmakta; başını iki elinin arasına koyup "Onun için elimizden geleni yaptığımız halde, bize karşı niye böyle saygısız?" diye düşünürken, ellerinden gelmesi gerektiği halde yapmadıkları 'yetiştirme' görevinin ise hâlâ daha farkına varılmamaktadır.

Kütüb-ü Sitte'de yer almamakla birlikte sonraki dönemde tahric edilmiş bazı muteber hadis külliyatlarında kaydı bulunan ve ahir zamanda 'insanların en hayırlıları çocuğu az olanlarıdır' buyuran hadis, yukarıda vurguladığımız 'yetiştirme' nüansıyla anlaşılmalıdır.[43]

Neden böyledir peki? Peygamberin vefatından sonra, belli bir tarihten itibaren mü'minler arasında en hayırlılar az çocuklular olacaktır?

Hz. Peygamber'in vefatından sonraki ilk asırlar ile sonrası karşılaştırıldığında, ilgili hadis eşliğinde gelişen bu sorular sanırım izahını bulacaktır.

İlk iki asırda, bilindiği üzere, sahabe, tâbiîn ve tebe-i tâbiîn vardır. Son sahabi, Hicrî yüzüncü yıla ulaşılmasına birkaç yıl kala vefat etmiş; Hz. Peygamber aleyhissalâtu vesselamın miras bıraktığı sünnet-i seniyyeyi sonraki yüzyılda sahabileri görüp onlara tâbi olan tâbiîn ile tâbiîni görüp tebaiyet eden tebe-i tâbiîn bilfiil temsil etmiştir. Üçüncü yüzyıla gelindiğinde, vahye ve sünnete karşı aklı, saf tevhid akidesine karşı içine esbabperestlik bulaşmış bir fikriyatı öne çıkaran Mu'tezile'nin İslâm diyarının iktidar-destekli resmî anlayışı kılındığı; Mu'tezile'nin yedeğinde felsefenin İslâm topraklarında boy vermeye başladığı; Bizans ve Sâsânî'den özenilen saltanat anlayışı ve yaşama tarzının ise zaten yerleşmiş olduğu bir dönemle karşılaşılmaktadır. Daha da sonrası, benim 'büyük bölünme' diye özetlediğim, 'bin senedir dehşetli sadmelerle yaralanan kalb-i umumî ve vicdan-ı âmme' ifadesini Bediüzzaman Said Nursî'ye söyleten bir dönemdir.

Bu dönemde İslâm gözlerden ve gönüllerden silinmemiştir elbette. Bilakis, kalblerdeki fütuhatını sürdürmüş, ülke ülke yayılmaya devam etmiştir. Ama, içtimaî hayatta yansımaları gözüken olumsuz dönüşümlerle birlikte, sokaklar elden gitmiştir. Sokaklar çocuğu, 'yetiştirmek' ne kelime, bozar hale gelmiştir. Dönem, dalâletli fikirlerin ve dünyevî hayat anlayışlarının kalb-i umumîde yaralar açtığı, umumî havadan şu veya bu düzeyde zehrin de teneffüs olunduğu bir dönemdir. Bu yeni dönemin en dehşetli, en hazin, önceki tüm asırlara rahmet okutacak derecede felâketli dilimi ise, şu içinde yaşadığımız zaman olsa gerektir.

İşte böylesi bir zamanda, çocuğun yetişmesi sokağa, okula, sağa sola emanet edilemez bir hal almıştır. Bilakis çocuğun insanî ve imanî terakkisi için, medyanın, sokağın, okulun, çevrenin bozucu etkilerinden zarardide olmayacağı bir donanımla yetişmesi zarureti vardır.

Ki, ilgili hadiste 'az çocuklu'ların 'en hayırlılar' olarak anılması, tek çocuklu yahut iki çocuklu her insanın hayırlı; beş, sekiz, yahut on çocuklu insanların ise muhakkak hayırsız olduğu anlamına gelmez. İlgili hadis, öncelikle, ikinci asırdan sonra, çocuk yetiştirmenin zorlaşacağına dikkat çekmektedir. Hadisin vurgusu, bu ortamda sokağa, şuna, buna havale etmeksizin bizzat anne babanın çocuğuyla ciddi biçimde ilgilenmesi; ebeveynlerin insanî ve imanî gelişimleri için çocuklarına ciddi bir zaman ayırmaları lüzumuna işaret etmektedir.

Buna göre, beş çocuğu için de bunu lâyıkınca başaran, hadisteki 'en hayırlılar' cümlesine dahil olacaktır. Ama vâkıa, şu zamanda çok çocukla bunu gereğince başarmanın zor, başarabilenlerin sayısının ise hayli az olduğudur.

Öte yandan, tek, iki, yahut üç çocuğu olduğu halde onu 'büyütmek'le yetinip ciddi biçimde 'yetiştirmeyen'ler çok sayıdadır. Bu durumdaki anne babalar, 'az çocuklu' oldukları için hadisteki müjdenin dahilinde değillerdir elbette; çünkü, hadisteki 'en hayırlılar' ifadesindeki maksada uygun bir ilgiyi çocuklarından esirgemişlerdir.

Rabbimizin bu hadisin hakikatından ders alarak O'na kul, dinine hâdim, esmâsına âyine, Peygamberine ümmet olacak hayırlı insanlar olarak çocuklarımızı yetiştirmeyi hepimize nasip etmesi duasıyla...

Âmin.

İki hadisle öğretilen

SATHÎ BİR NAZAR, HER BİRİ birçok hakikati barındıran bazı hadislerde, zâhirine bakarak, çelişkiler görür. Kendi dar aklını ve sınırlı görüşünü me'haz edinerek, hele enaniyeti de kuvvetli ise, işi sözkonusu hadislerden birini veya öbürünü red veya inkâra kadar götürür.

Zahiren birbiriyle çelişir gözüken, o yüzden sathî nazarların bilhassa birine iliştikleri iki hadise örnek olarak, "Evleniniz, çoğalınız! Ben Mahşerde ümmetimin çokluğu ile övüneceğim"[44] hadisi ile, "[Ahir zamanda] ümmetimin en hayırlıları, az çocuklu olanlarıdır"[45] hadisi gösterilebilir.

Değişik ortamlarda tecrübe edebildiğim kadarıyla, bu hadislerden özellikle ikincisi itiraza medar olmakta; bu hadisten aldıkları dersi dile getiren insanlara, "İyi de, şöyle bir hadis var ama" denilerek, itirazın mesnedi olarak diğer hadis sunulmaktadır.

Halbuki, sathî nazarların zahiren birbiriyle çelişir durumda gördüğü bu iki hadis, hakikat-ı halde birbirini takviye edip tamamlamaktadır. İkinci hadisin mesajı, en iyi biçimde, diğer hadis de nazarda tutularak anlaşılmaktadır.

Dikkat edilirse, bu hadislerden ilki, belli bir zamanı sözkonusu etmeksizin genel bir hükmü ve umumî bir teşviki ifade etmekte; ikinci hadis ise bu umumî teşvike bir istisna getirmektedir. Herkesin kolayca görebildiği gibi, iki hadis de 'çoğalma'yı teşvik etmekte; ancak, ikinci hadis meselâ ahir zamandaki ümmete çok çocukla değil, az çocukla 'çoğalma'yı tavsiye etmektedir.

Bu kayıt ve istisnanın bir çelişkiyi değil, ilgili zamanın mahiyetine dair bir nebevî ikazı dile getirdiği ise, her iki hadiste de mevcut bir ifadeden anlaşılabilir. Bu ifade 'ümmet,' daha doğrusu 'benim ümmetim' ifadesidir. Resûl-i Ekrem aleyhissalâtu vesselam ümmetini evlenip çoğalmaya, böylece 'ümmetinin çokluğu'nu temine teşvik ederken, ikinci asırdan sonra 'ümmetinin en hayırlıları'nın 'az çocuklular' olacağını bildirmektedir. Demek ki, ahir zamana doğru, evliliğinin meyvesi olan çocuklarını 'ümmet-i Muhammed' olabilecek bir şekilde yetiştirme imkânı mü'minler için daralmakta ve zorlaşmaktadır. Böyle bir zamanda bir mü'minin çok çocuklu olması illâ ki onun 'ümmet-i Muhammed'i çoğalttığı anlamına gelmemektedir.

Böylece Resûl-i Ekrem mucizevî bir şekilde zaman ilerledikçe 'ümmet-i Muhammed' tarifine dahil olabilecek çocuk yetiştirmenin zorlaşacağını bize haber vermektedir. Önceki devirlerde, hele Asr-ı Saadet ve onu takip eden asırlarda, mü'minler rahatlıkla çok çocuk sahibi olabilmiş, ve onların her biri 'ümmet-i Muhammed' tarifine dahil olabilmiştir. Zira, o dönemde umumî ortam bozulmuş değildir. Meselâ sokak, çocuğun bozulduğu yer değil, gelişip terakki ettiği yer hükmündedir. Çocuğun insanî ve manevî gelişimi için, anne babanın özel bir gayreti şart değildir; sokak da dahil, her ortam bu gelişim için bir imkân sunmaktadır.

Örnek olarak Asr-ı Saadeti düşünürsek, bir sahabinin on,

onbeş, hatta yirmi çocuk sahibi olması anlaşılabilir birşeydir. Zira, anne babanın çocukla teke tek, çok yoğun bir ilişki içinde olması gerekmemektedir. Çocuk sokağa çıktığında, oyun arkadaşı sahabi çocukları, yolda beride gördüğü büyükler ise hepsi de Hz. Peygamber'in ifadesiyle 'yıldız misali' insanlar, yani sahabilerdir. Yalan, fısk, kumar, hırsızlık, iftira, sövüp sayma, müstehcenlik... bu çirkin hal ve fiillerin ise esamesi okunmamaktadır. Umumî ortam kirlenmiş olmadığı, bilakis nuranî olduğu için, sokak dahi çocuğun 'ümmet-i Muhammed'e dahil olmasına vesilelik edebilmektedir. Sözün kısası, bir mü'minin her bir çocuğu için çok fazla zaman ayırması gerekmemektedir. Sonraki çağlarda, hele ahir zamanda tek bir çocuğun insanî ve imanî terbiyesi için anne babanın harcadığı zaman, İslam'ın bu ilk asırlarında üç, beş, on, onbeş çocuğun terbiyesi için pekâlâ kâfi gelmektedir.

Sözün özü, iki hadise de beraberce bakıldığında alınacak ders, zaman ilerledikçe, çocuğun insanî ve imanî terbiyesinin kendilerine emanet edileceği ortamların ve insanların giderek azalacağı; bu işin, giderek artan oranda, anne babaya kalacağıdır. Bu yeni zamanın çocukları, önceki asırlarda belki on çocuğa ayrılan zamanı birine yahut ikisine ayırabildiğimiz takdirde 'ümmet-i Muhammed' olabilecek bir imanî terbiyeye kavuşmaktadır.

Velhasıl, iki hadisin beraberce verdiği ders uyumludur ve anlamlıdır. İki hadis de, Hz. Peygamber'in ona ümmet olacak çocuklar yetiştirmeyi bizden istediğini bildirmekte; ve ikincisi, ahir zamana doğru yaklaşıldıkça bu iş zorlaşacağı için çok çocuğa az bir zaman ayırmanın yetmeyeceğini, az çocuğa çok zaman gerekeceğini ihsas etmektedir.

Ve şimdi, zaman ahir zamandır. Ahir zamanda çocuklarımızın 'ümmet-i Muhammed'den' olması ise, bizim onlar için ayıracağımız zamana ve göstereceğimiz çabaya bakmaktadır.

Resûl-i Ekrem aleyhissalâtu vesselamın Hesap Günü 'ümmetinin çokluğuyla övünmesi'nde bir payımız olsun istiyorsak, çocuklarımız için ciddi bir zaman ayırmamız vazgeçilmez bir şarttır.

Babalara övgü

KADINLIK DURUMUNU 'DİŞİ'LİĞE indirgeyip insan, eş ve anne olarak kadını âdeta yok sayan çağdaş uygarlığın eşine az rastlanır bir pişkinlikle İslâm'ı 'kadını ikinci sınıfa iten din' diye sürekli itham altında tutması, yaşadığımız çağın en yaman çelişkileri arasındadır.

Gelin görün ki, bu çelişki zihinlerdeki hükmünü ve söylem olarak iktidarını korumaktadır.

Ve bu yüzden, yaşadığımız çağda mü'minlerin en ziyade üzerinde durduğu konulardan birini, 'İslâm'ın kadına verdiği değer' oluşturmaktadır. Cahiliye döneminin kadınlar açısından arzettiği trajik şartlardan İslâm'ın kadınlara getirdiği haklara uzanan bir çizgide, 'İslâm'ın kadına verdiği değer' sıklıkla, hatta bazan bıktırıcı bir sıklıkla vurgulanmaktadır.

Elbette, âlemler Rabbinin Ezelî Kelâmı olarak Kur'ân'ı insanlığa tebliğ eden ve onun hayatlarımıza nasıl taşınacağını hayatıyla ve sözleriyle açıklayan Hz. Peygamber'in ilgili hadislerini de bilhassa zikrederek!

Nitekim, "Cennet annelerin ayakları altındadır"[46] mealindeki o güzelim hadisi, işte bu yüzden, hepimiz ezbere biliriz.

Ne var ki, böylesi hadislerle süslenmiş bir 'İslâm'ın kadına verdiği değer' söylemi, gerek Batının, gerek dünyanın her tarafındaki Batılılaşmış zihinlerin İslâm'la, özelde 'İslâm'da kadın'la ilgili önyargılarını kırmıyor. Kıramıyor. Zira, başta da belirttiğimiz üzere, Batı medeniyeti içinde gelişen 'kadın hakları' akımı, bir eş ve bir anne olarak kadına karşı bir 'dişi' olarak kadını önceliyor; 'eş'liği ve 'anne'liği ise, kadına karşı haksızlığı mümkün kılan unsurlar arasında görüyor. Açıkçası, ruhunu ve bedenini nefsinin serbest kullanımına açık tutan bir 'dişi'liği özgürlük olarak değerlendirip bir tür esaret olarak gördüğü anneliği zaten yolun başında aşağıladığı için, "Cennet annelerin ayakları altındadır" gibi bir güzelim hadisi, kadına değer veren ve değerli kılan bir söz olarak algılayamıyor.

Maamafih, tam da burada, insanın aklına itiraz kabilinden bir soru gelmiyor değil: 'Anne' olarak kadını değersizleştiren bir uygarlık neden 'Anneler Günü' gibi bir gün ihdas etsin ki?

Oysa, böyle bir günün ihdas edilmesi dahi, 'anne'liğin Batıda uğradığı aşınmayı ve değer kaybını net bir biçimde ortaya koyuyor. Bu uygarlık içinde 'anne'nin değeri, hatırı ve hukuku unutulmuş olmalı ki, bunları hatırlamak için bir gün ihdas edilmiş bulunuyor.

Hem de ne gün!

Koca bir yıl boyu evlerinde yalnızlığa, yahut sözümona 'huzur' içeren bakımevlerinin kuytularında hüzne itilen; şefkatle bakıp büyüttüğü ve şimdi de kendilerinden sevgi ve ilgi beklediği nazarların uzağında kader ortağı yaşıtlarıyla birlikte günlerini geçiren anneler o bir günde kendileri için bir işe yarayıp yaramayacağı meçhul hediyelerle 'sevindirilir' iken, kazanan, annelerden ziyade kapitalizm oluyor. Açıkçası, Anneler Gününde, annelerden daha çok kapitalistler seviniyor!

Bütün bunlara rağmen, annelerin Batı uygarlığı içinde yine

de 'şanslı' durumda oldukları söylenebilir. Çünkü, onlardan da kötü durumda bir zümre daha var: babalar. 'Anne'nin hukukunun bile ihmal edildiği bir zeminde 'baba' figürü, 'erkek-egemen' bir dünyanın baş müsebbibi ve de 'maço'luğun sembolü olarak, daha da fazla aşağılanıyor.

Ama, 'Anneler Günü'nden sonra, ayıp olmasın diye ihdas edilmiş bir 'Babalar Günü' yok değil. Ancak, o gün için 'Anneler Günü'ndeki kadar öne çıkan bir 'kutlama'dan söz etmek de mümkün değil. Kaldı ki, olsa bile, bu 'kutlama,' annelere tahsis edilen gün gibi, esasen büyük mağaza zincirlerinin patronlarına yarıyor. Ve ilginçtir, istatistikler ABD gibi Batı medeniyetinin sembolü haline gelmiş bir ülkede en fazla karşıdan ödemeli telefon görüşmesi yapılan günün 'Babalar Günü' olduğunu gösteriyor. Yani, çağdaş uygarlığın görücüye çıktığı bu diyarda pek çok evlat 'baba'sının 'günü'nü o gün münasebetiyle yaptığı telefon görüşmesinin parasını babasına ödeterek kutluyor!

Bununla birlikte, kötüye gidişlerle iyiye gidişlerin sürekli içiçe olduğu şu dünyada, bu çağdaş uygarlık tabloları arasından 'kışta bahar' manzaraları çıkarmak, hatta uzun vadede hayra tebdil olunabileceği umudu veren trendler yakalamak da imkânsız değil. Meselâ, söz babalardan açıldığında, 70'lerin sonunda yayınlandığında büyük yankı uyandırmış, 80'lerde sinemaya aktarıldığında bu etkisi daha da ziyadeleşmiş bir romanın, *Kramer Kramer'e Karşı* romanının yazarı Avery Corman'ın bir sözünü hatırlamak gerekiyor. Erkekle birlikte kadının da çalışma hayatına atılmasının, hele hele kadının çalışma hayatında erkekten daha başarılı olabileceğini isbat çabasının, açıkçası 'kadının erkekleşmesi'nin aile, baba, anne, ve özellikle de çocuk açısından sonuçlarını irdeleyen romanın yazarı, bütün bunlara rağmen, "Biz erkekler feminizme teşekkür borçluyuz" diyor ve bu borcu şöyle gerekçelendiriyor: Kadın 'anne'liği ihmal edince, biz babalar çağlar boyu baba olarak hep içimizde gizlediğimiz şefkati daha rahat biçimde dışa vurur hale geldik.

Tam da burada, kırk yılı aşkın bir süre İslâm üzerine ve başlangıçta İslâm'a karşı araştırmalarda bulunmuş bir oryantalisti, W. Montgomery Watt'ı hatırlıyor insan. Watt, akademik hayatının son demlerinde yazdığı *Islam and Christianity Today* (Günümüzde İslâm ve Hıristiyanlık) adlı kitabının bütününde başlangıçta İslâm karşıtı duygularla yola çıkmış bir oryantalist olarak İslâm'a karşı 'çatışma' duygusundan zaman içinde 'anlayış, saygı ve diyalog' çizgisine nasıl ilerlediğini anlatırken, artık bir Hıristiyan olarak İslâm'ın kelime-i tevhidini, yani 'Allah'tan başka ilah olmadığı ve Muhammed'in O'nun elçisi olduğu' akidesini kabul ettiğini belirtiyor. Ama unutmayalım; bunu, bir Hıristiyan olarak söylüyor. Ve hemen akla gelen İslâm'ın tevhid akidesini Hıristiyanlıktaki Baba-Oğul kavramlaştırması ile nasıl telif edebildiği sorusuna şöyle cevap getiriyor: İncil'lerde Cenab-ı Hakka atfen 'Baba' sıfatının kullanılması, ve İsa'nın şahsında insanın 'Oğul' olarak nitelendirilmesi, lafzî değil, sembolik bir düzlemde anlaşılmalıdır. 'Baba,' şefkat ve kudreti beraberce içinde barındırmanın, aynı anda hem güç hem de şefkat sahibi olmanın timsalidir. Sevdiğini görüp gözetmeye muktedir bir halde sevip şefkat etmenin sembolüdür. İşte Allah biz kullarını âdeta bir babanın oğlunu sevdiği şekilde sevdiği içindir ki, İncil'lerde Baba-Oğul sembolizmi kullanılmaktadır!

Watt'ın getirdiği bu açıklamanın teolojik boyutu bir tarafa, baba gerçekten de bu durumda değil midir? Baba, zahirde bir sertlik ve iktidar görüntüsü taşısa bile, 'şefkat'in dışavurumunu normal şartlar altında 'anne'ye ihale etmiş biri olarak, kendi şefkatini içten içe taşımaktadır.

Sadece insanlık âleminde değil, bir bütün olarak mahlukat âleminde bu böyledir. Baba, ailesi ve evlatları için kendi rahatından feragat eder, gerektiğinde kendini feda eder. Koç, kuzuları ve koyunlar uğruna kendi bedenini kurtlara siper eder. Horoz, bir yerde bir yem bulduğunda yem yiyormuş gibi heyecanla küçük taşları ağzına alır ve tavuklar ile civcivleri o yemi yemeye çağırır.

İnsanlık âleminde de, baba, başka hiçbir şeye feda etmediği haysiyetinden yalnızca çocukları için feragat eder. Kendisi için çalmadığı kapıları, çocukları için tıklatır. Hayatının en güzel anlarını çocuklarının rahatı için çalışmakla geçirir. Onların rahatı için, onların uzağında rızık peşinde koşar. Çocuklar annelerinin onlar için aldığı giysileri giyerler; ama bu giysilerin alındığı parayı eve baba getirir. Çocuklar annelerin yaptığı yemekleri yer; ama malzeme babanın alınteriyle alınmıştır.

Sözün kısası, annenin çocuklar üzerinde büyük hakları vardır. Ve bu haklar o derece büyüktür ki, Kur'ân'ın Allah'ın üzerimizdeki haklarından sonra vurguladığı en birinci hak, annelerimizin bizim üzerimizdeki haklarıdır. Ve yine bu yüzden, hak ve hatır gözetmede birinci sırada tutmamız gereken kişinin annemiz olduğunu bize bildiren birçok hadis-i şerif bulunmaktadır.[47]

Ki, 'İslâm'da kadın' üzerine bunca saldırının olduğu bir zamanda, bu hadislerin en azından bir kısmını biliriz ve vurgularız. Nitekim, biliriz ki, "Cennet annelerin ayakları altındadır."

Ancak bilmeyiz ki, anneler için böyle buyuran kudsî nebî (a.s.m.), babaların hakkını ve hatırını da unutmamıştır.

Bilmeyiz ki, onun babalar hakkında da şöyle bir hadisi vardır: "Baba, cennetin orta kapısıdır."[48]

'Annelerin ayakları altında' olan cennete tam da 'orta kapısı'ndan girebilmeye ne dersiniz?

'Annelerin ayakları altında' olan cennete tam da 'orta kapısı'ndan girebilmek için, annelerimizle birlikte babalarımızın da gönlünü hoş tutmaya, onların üzerimizdeki haklarını unutmamaya ne dersiniz?

Nasıl bilirsen

BİR HADİS-İ KUDSÎDE, Rabb-ı Rahîm, "Ben kulumun zannı üzereyim"[49] buyurur. Bu kudsî hadisin en yalın mesajı, âlimlerin ittifak ettiği üzere, şudur: "Kulum Beni nasıl bilirse, ona öyle muamele ederim."

Allah'ın kullarının hayatlarına bakıp onların iç dünyalarına bir derece nüfuz ettiğimizde, bu kudsî hadisle bildirilen gerçeğin tezahürleri çıkar karşımıza.

Meselâ, hakikî imanı elde eden öyleleri vardır ki, Rablerinin rahmet, şefkat, yardım ve ihsanından asla gafil olmadıklarından, külhanlar gülistan, zindanlar cennet bahçesi hükmüne geçmiştir onlar için. Zahiren çok büyük musibetler yaşamış da olsalar, o musibetlerde dahi O'nun rahmetinin, ihsanının ve sevgisinin izlerini görmüş; musibetlere dahi 'sabır içinde şükür' etmişlerdir.

Öte yandan, imanı zayıf olan yahut inanmayan niceleri, apaçık rahmet ve sevgi tecellileri karşısında dahi hüzün, elem ve endişe yüklüdürler. Ağza giren lezzetli bir yemek, bir daha böylesini bulur muyum düşüncesiyle elem getirir; güzelim bir bahar manzarası otların ve çiçeklerin solduğu sonbaharın hatırlanmasıyla hüzün sebebi olur, ulaşılan bir servet korunup korunamayacağı endişesiyle âdeta azaba dönüşür.

Velhasıl, Rabb-ı Rahîm, herşeyi kuşatan rahmetiyle O'nu tanıyana her bir hadisede rahmetinin izini ve eserini gösterir. Rahmetini görmezden gelen yahut itham eden kullarına ise celâl tecellileriyle mukabele eder. Zira, O, kulunun zannı üzeredir. Kulu O'nu nasıl bilirse, ona öyle muamele eder: "Ben kulumun zannı üzereyim."[50]

Vahyin aydınlığına gözünü kapamayı Aydınlanma Çağı bilen modern medeniyetin ürünü olarak korku filmleri, bu kudsî hadisin ışığında, ne kadar da anlamlıdır!

Bu filmler ne söyler bize? Der ki: Kimseye güven olmaz, en güvendiğiniz arkadaşınız gerçekte bir vampir olabilir. Beslediğiniz kedi geceleri başkalaşıp aile efradınıza saldırabilir. Evinizin tavanı üstünüze düşebilir, tabanından korkunç mahluklar sökün edebilir, elektrik kablosu sizi elektroşoka maruz bırakabilir, televizyonunuz sizi kurşunlayabilir, halınız ayağınıza dolanmaya hazır halde bekliyor olabilir, mutfağınızdaki çatal size düşman kesilip gözünüze saldırabilir, ekmek bıçağı ekmeği değil sizi kesmek üzere bekliyor olabilir; aklınıza her ne kötü şey geliyorsa, hepsi olabilir. Hatta, karınızdan, babanızdan, yahut çocuğunuzdan bile emin olamazsınız. Her an herşey olabilir; ve 'olabilir' haldeki bu 'herşey' korkunç şeylerdir hep!

Korku filmleri, bu korkulu ve evhamlı kurgusuyla, inanmayan veya O'nu rahmetiyle değil gazabıyla tanıyan insanların iç dünyasını dışa vurur gerçekte. Bu filmlerin bir 'kurgu' olarak algılanmayıp ciddiyetle izleyici bulmasının altında yatan ise, bu 'kurgu'nun insanların iç dünyasındaki rahmetsiz ve cemalsiz, evham ve vesvese yüklü düşüncelerle denklik taşımasıdır.

İşin özeti; Allah, Kendisini rahmetiyle tanıyana rahmetiyle, rahmetiyle tanımayana ise celâliyle muhatap olmaktadır. Kul

Rabbini nasıl tanıyorsa, ona öyle muamele olunmaktadır.

Allah'a ya hiç ya da rahmetiyle inanmayan insanların hayatlarını saran vehim, korku ve endişeler kadar, korku filmleri de aynı gerçeği fısıldar bize: O, kulunun zannı üzeredir. Kulu O'nu nasıl bilirse, ona öyle muamele eder.

İstenmeyen şahitlikler

GÜNDELİK HAYATIN AKIŞINA, özellikle de gündelik sohbetlere dikkat ettiğimizde, sohbetlerimize konu olan malzemelerin büyük kısmının medya kaynaklı olduğunu görürüz. Gazetelerden, televizyondan duyduğumuz havadisler meşgul etmektedir zihnimizi ve dilimizi. Ağızdan ağıza dolaşan dedikodular mazide kalmış haldedir artık. Şimdilerde söylentiler, iddialar, dedikodular bir ağızdan aynı anda milyonlarca kulağa gitmektedir. Bir ağızdan çıkan haber kılıklı iki söylenti aynı anda milyonlarca dinleyici bulmakta, ertesi gün yüzbinlerce kilometrekarelik bir alanda milyonlarca insan bu söylentileri konuşmaktadır.

Devir öyle bir devirdir ki, birkaç kanalda sunulan bir haber, yahut birkaç gazetenin manşete çektiği iki havadis, kahramanları rezil, rezilleri kahraman edebilmekte; zalimleri alim, alimleri ise zalim suretinde zihinlere ve dillere yerleştirebilmektedir. Nice insan, 'Duydun mu, şöyleymiş'ler üzerinden, gözüyle görmediği nice şeye ağzıyla şahitlik etmektedir.

'Olduğu söylenen' ile 'olan,' 'gösterilen' ile 'vuku bulan' arasında çoğu zaman ciddi farklar sözkonusudur halbuki. Küçük bir manipülasyon, bir kamera hilesi, aradaki bir kelimenin veya cümlenin çekilip çıkarılması, mâkul ve doğru bir söz veya fiilin farklı ve çirkin mecralara çekilmesi için ne yazık ki yeterlidir. Nice insan, görmediği nice olayda tanımadığı insanlar aleyhine şahitlik etmekte, hatta hüküm vermektedir. Gerekçe de hazırdır: "Öyleymiş! Gazeteler öyle yazıyor. Televizyon öyle söyledi."

Velhasıl, Hz. Peygamber'in kendisinden sonra vuku bulacağını haber verdiği 'istenmeyen şahitlikler'in olabildiğine yaygın hale geldiği bir çağda yaşıyoruz. Câbir b. Semûre radıyallahu anh kanalıyla bize kadar gelen ilgili hadiste, kendi vefatından sonra sahabiler, tâbiîn ve tebe-i tâbiîn dönemini ihsas eden Hz. Peygamber, onların umumî çizgisinin müstakim olacağını bildirmekte; bu üç tabaka insanın sırayla dünya sahnesinden çekilmesinden sonrasını ise şöyle tarif etmektedir: "Sonra yalan yaygınlaşacak. Öyle ki, kişi kendisinden şahitlik istenmediği halde şehadette bulunacak, yemin talep edilmediği halde yemin edecek."[51]

Ne zaman bu hadis aklıma gelse, şu zamanda insanların televizyon veya gazete haberlerine dayanarak kişiler ya da topluluklar hakkında ettiği onca sözü, onca '-mış, -mış'ı hatırlarım. Keza, "Vallahi öyleymiş" diye yeminlerin dahi edildiği onca şahitliği...

Oysa, bir mahkemeye çağrılmış değilizdir, kimse bizden şahit olmamızı istemiş de değildir, ilgili olayda gerçekten şahitlik edebilecek durumda da değilizdir. Olduğu söylenen olay, eğer gerçekten olmuşsa, bizim çok uzağımızdadır; ne gözümüz olup biteni görmüş, ne kulağımız söylenenleri işitmiştir. Ama yine de konuşur, istenmeyen şahitlikler eder, hatta hızımızı alamamışsak yemin dahi ederiz.

Bu istenmeyen şahitliklerin bedeli ise, kimi zaman, nice

masumun suçlu bilinmesi, nice şerefli insanın şerefine halel verilmesi, nice namuslu insanın ahlâkına leke sürülmesi, nice haklının haksızlıkla itham edilmesidir.

Kaldı ki, velev haberi verilen olay haberin verildiği şekilde vuku bulmuş olsun, bu durumda dahi, insanların özel hayatlarına burnumuzu sokmuş, özel hayatlara dair bilmemiz gerekmeyen hayırsız ayrıntılarla aklımızı doldurmuş oluruz.

Bu kadarıyla kalınsa, yine de iyidir. Çoğu kez, vaziyet, istenmediği halde yalancı şahitlik şeklinde cereyan etmektedir.

Hayatlarımız böyle gidecek olursa, Hesap Günü önümüze Allah katında çok ağır bir suç olan 'yalancı şahitlik'le ilgili sayısız dosya geleceği korkusunu taşıyorum.

O gün Mahkeme-i Kübraya sevkedilmiş onca 'yalancı şahitlik' dosyasıyla boğuşmak ister miyiz?

Cevabımız 'hayır,' biliyorum.

Bu 'hayır'da samimi isek, dilimizi istenmeyen şahitliklerden uzak tutmamız gerekiyor.

Teknolojiye nebevî bakış

İSLÂM DÜNYASINDAKİ İNSANLARIN Batı medeniyetine bakışının, özellikle teknoloji noktasında, üç ana kolda geliştiğini söylemek mümkün.

Bunlardan ilkini, her hal ve şartta ve her haliyle Batılılaşma gereğini ileri sürenler oluşturuyor. Bunun tam karşısında ise, Batı modernitesinin her hal ve şartta ve herşeyiyle reddedilmesi gerektiğini düşünenler bulunuyor. Bu ikisinin ortasında ise, ortada olmakla birlikte denge noktasını temsil ettiğini söylemenin pek de kolay olmadığı bir üçüncü grup yer alıyor. Bu grup, "Batının kültür ve medeniyetini reddedip, bilim ve teknolojisini alalım" görüşünü serdediyor. Yaklaşık yüzyıl önce, Mehmed Âkif merhumun: "Alınız ilmini garbın, alınız sanatını..." sözleriyle özetlediği bir görüş bu.

Bu üç görüş arasında birinci görüş Batıcılığı ile diğer ikisinden peşinen ayrılırken, asıl gerilim diğer iki görüş arasında yaşanıyor. Zira, üçüncü grubun sergilediği eklektik anlayışa karşı, ikinci grup şu tezi savunuyor: "Teknoloji masum birşey değildir; alıp kurtulamazsınız. O, Truva atı gibidir; onu aldınız mı, onun içinden çıktığı medeniyetin dünya görüşü de ardısıra gelip dünyanıza yerleşir."

Şahsen, bu görüşler arasında, ilkini hiç benimsememekle birlikte, ikinci ve üçüncü görüş arasında duruşumu netleştirdiğim de söylenemez. Teknolojinin masum birşey olmadığı konusundaki görüşü paylaştığım gibi, bu noktadaki vurguyu abartıp Batı içerisinde çıkmış her yeni teknolojide mutlaka bir 'kötülük' aramayı da doğru bulmuyorum. Aracın her hal ve şartta amacı yönetebileceği, teknolojinin onu kullananın niyetini aşan bir güce her hâlükârda sahip olduğu şeklinde bir yaklaşım bana abartılı gözüküyor.

Durum her hal ve şartta böyle olsaydı, Şam'dan altın kandiller getirip Mescid-i Nebevî'yi aydınlattığında, Temim ed-Dârî'ye Resûlullah (a.s.m.) açık ve kesin bir uyarıda bulunurdu diye düşünüyorum. Oysa, bu yöndeki beklentilerin hilafına, Hz. Peygamber'in "Sen İslâmiyeti nurlandırdın ve onun mescidini süsledin. Allah da seni dünyada ve ahirette nurlandırsın" diye Temim ed-Dârî için dua ettiğini görüyoruz.

Hz. Peygamber'in yeni birşeyi giyerken ya da kullanırken yaptığı mutad duayı da teknoloji ve uzantıları noktasında bizim için manidar buluyorum.

Yeni bir elbise giyerken, aldığı veya hediye edilen yeni birşeyi kullanırken, şu duayı ediyor Hz. Peygamber:

> "Allahım! Bunun hayrını, bunun yapılışındaki hayrı Senden dilerim. Bunun şerrinden, bunun yapılışındaki şerden Sana sığınırım."[52]

Bu nebevî duadan anlıyorum ki, giydiğimiz yahut kullandığımız bir eşyada, o eşyayı yapanın niyetiyle, amacıyla, ruh iklimiyle, ideolojisiyle ilintili bir yön de, bundan bağımsız bir yön de mevcut. Arının su içip bal akıtırken yılanın su içip zehir akıtması misali, kendisi hayırlı olan ve hayırlı niyetle yapılan birşey kullanıcının niyetindeki ve kullanış biçimindeki yanlışlık yüzünden şerre dönüşebildiği gibi, şer niyetle yapılan birşey hayra yönelik birinin elinde hayra da yarayabilir. Yani, kullanıcının bakışı ve niyeti hayır niyetle yapılan hayırlı birşeyden şer üretebilir, yahut şer bir niyetle yapılan şerli birşeyden hayır hâsıl edebilir.

Açıkçası, hadis aynı anda hem dikkat, hem de tevekkül iktiza ediyor. Hadisin birşeyin 'yapılması'ndaki hayra veya şerre dikkat çekiyor olması, bana göre, bizi eşyayla ve teknolojiyle münasebette uyanıklığa davet ediyor. Kullanıcının o şeyin hayrını ve yapılmasındaki hayrı Allah'tan isteyip şerden O'na sığınması, yani hadisin dua boyutu ise, bizi kullanım noktasında dikkate ve niyet tashihine çağırıyor.

Bu duanın ihsas ettiği ruh halini kuşandığımızda, zahiren haramiyeti sözkonusu olmayan ama hâzır medeniyetin ruh ikliminde üretilmiş birşey eğer bir şer içeriyorsa bu şerden masun kalabileceğimizi, bir hayır içeriyorsa bu hayırdan nasiplenebileceğimizi umuyorum.

Rabb-ı Rahîm'in bizi neyi kullanıyorsa ondaki hayrı murad eden ve ondaki şerden sakınan kullardan kılması duasıyla...

Yüz kere şehit olmak

YILLAR ÖNCE, ŞU ASRIN ENANİYETLİ denizinde, nefsin ve şeytanın binbir hilesine, oyununa, tuzağına düşmeden yaşamanın olabildiğince zor, olabildiğince ağır gözüktüğü bir vakitte şöyle demiştim kendi kendime: "Ölmeye karar verenlerin işinin kolay olduğunu sanmıyorum. Fakat yaşamaya karar vermek, çok daha zor."

Hele şu asırda, daha da zor. Çünkü şu zaman, âhir zaman. Sahabenin dahi korktuğu, şerrinden ve fitnesinden Rabbine sığındığı bir zaman. Kendi iç dünyamızda, ve de dış dünyalarda binlerce kez örneğini gözlemlediğimiz üzere, yalan ile doğrunun bir çarşıda beraber satıldığı; hidayet ile dalâletin arasının neredeyse kapandığı; bir insanda mü'min kalb ile mütefelsif aklın beraberce var olabildiği; en iyiniyetli içtihadların dahi dünyevîlikle mâlul olabildiği bir zaman.

Böylesi bir zamanda hayatın her anında mü'minâne bir tavır sergileyebilme noktasında güçlükler yaşıyoruz. Çoğu şeyi, kalbimiz ve vicdanımız öyle istese de, yapamıyoruz. Her birimizin iç dünyasında, bu halin verdiği hüzün, nedamet ve pişmanlıklar kol geziyor.

Çünkü, bir kez daha vurgulayalım, yalan ile doğrunun beraber satıldığı bir çağda yaşıyoruz. Dünyayı dine 'ehl-i dinin dahi bilerek ve severek tercih ettiği' bir vasatta bulunuyoruz. Veya, bir hadisin ifadesini kullanırsak, 'fesad-ı ümmet' devrinde yaşıyoruz. Ümmetin ifsada uğradığı, ölçülerin aşındığı, kafaların karıştığı bir devirde yani...

Ve, böyle bir zamanda yazılmış olup bu vâkıayı sözkonusu eden hadise ilk sayfasında yer veren bir kitap, iki ayrı isim taşıyor. "Sünnet-i Seniyye Risalesi" ya da "Tiryak-ı Marazu'l-Bid'a." Nitekim, bu risalenin daha ilk sayfasında 'fesad-ı ümmet'in, 'bid'aların dehşetli hücumu,' 'bid'aların hâkim olması' diye açıklandığını görüyoruz. Bu bakımdan, 'bid'a marazı'nın her tarafa yayıldığı bir ortamda yaşıyoruz. İç dünyamızda bunun sancılarını her daim çekiyoruz. Ve de şu asrın hastalıklı kalbini tedaviye çalışan şefkatli bir tabib bize bir reçete yazıyor: 'sünnet-i seniyye.'

Yanlış anlaşılmasın; 'fesad-ı ümmet'in göstergesi olarak 'bid'a,' sonradan çıkan herşey demek değil. Bid'a, 'ahkâm-ı ubudiyette yeni icadlar' demek; sünnete yakışmayan, Resûlullah'ın sergilediği ubudiyete ters düşen şeyler demek. Hucurât sûresindeki ifadeyi hatırlarsak, 'sesimizi Hz. Peygamber'in sesinden yüksek çıkarmak;' Peygamber'e karşı aklımızı ve nefsimizi öne çıkarmak demek. Ki, kendi nefsimizi birinci sıraya alıp kendi aklımıza güvenmeye başlayınca, 'sünnete tâbi olmak' yerine 'sünneti kendimize tâbi' kılıyoruz. Hz. Peygamberin (a.s.m.) bizi ubudiyet miracına götüren her fiilini ve her sözünü kendi keyfimizce, kendi dar aklımızca, kendi dünyevî tutkularımızla yorumlayıp tağyire başlıyoruz.

İşte bid'a bu olsa gerek. 'Fesad-ı ümmet' bu olsa gerek...

Şu asır "Bizim dinimiz en mükemmel dindir. Binaenaleyh dinimizin icabatını yerine getireceğiz" diyen birilerince yürütülen bir dünyevîleştirme programına şahit olmadı mı meselâ? Şu asırda sünneti 'çöl geleneği' diye hafife alan, buna karşılık kendilerinin 'Kur'ân'daki İslâm'a tâbi olduklarını söyleyen insanlar çıkmadı mı? Şu asır, haramiyeti Kur'ân'da açıkça ifade edilen faiz gibi nice fiile cevaz aranan, tesettür gibi nice emrin ise ilgasına çalışılan bir asır değil mi?

Hayatın değişik alanlarında bir dizi örneğini maalesef gördüğümüz bu 'bid'aların hücumu' zamanında, şu asrın şefkatli ve hikmetli tabibinin ortaya koyduğu 'manevî cihad' reçetesini şimdi daha iyi anlıyorum. Çünkü, 'kurt gövdenin içine düştü.'

Bir çırpıda hayatını feda etmek; 'maddî cihad'a talip olup bir kahpe kurşunla öte dünyaya gitmek... Evet, bu zor. Ölümü göze alabilmek zor. Ama 'manevî cihad' üzere olup, mü'min kalarak yaşayabilmek çok daha zor. Allah'ın Kitabını anlayıp Allah'ın dinini yaşamada Allah'ın Resûlü'nün hayatını rehber edinmek, iç dünyamızda ve haricî âlemde pek çok engeli aşabilmeyi, pek çok lâfa kulak asabilmeyi gerektiriyor.

Böyle bir zamanda, "Ümmetimin fesadı zamanında kim sünnetime yapışırsa yüz şehit sevabı alır"[53] hadisindeki hikmeti derinlemesine kavrıyor insan.

Anlıyor ki, böyle bir zamanda ayağını Allah'ın hak yolunda sabitkadem tutabilmek, ölçü ve kılavuz olarak sünnet-i seniyyeye yapışmakla mümkün. Anlıyor ki, bu iş hiç de kolay olmasa gerek ki, başarana yüz şehit sevabı veriliyor.

Çünkü, böyle bir yaşayışa talipseniz, size bakışlarıyla kasdediyor birileri, ok gibi sözler saplıyorlar yüreğinize...

Velhasıl, öyle bir asırda yaşıyoruz ki, ölerek değil, yaşarken şehit olmamız gerekiyor. Ve böylesi bir asırda zor olan da bu ki, başaranlara 'yüz kere şehit olmak' derecesi veriliyor.

Ne mutlu o yolda yaşayabilenlere...

Üçüncü Bölüm

Ümide çağrı

Bir delikten iki kere kim ısırılmaz?

GÜNAH OLDUĞUNU, RABBİMİZİN rızasına uymadığını bildiğimiz fiilleri nasıl bir sürecin sonunda işlediğimiz, tek tek hepimizin malumudur.

Üstelik, bu süreç her Allah'ın günü defalarca işler durur.

Ya tembelliğin, ya kendine fazla güvenmenin, ya bir sıkıntının, bir hevesin, bir özentinin, veya başka birşeyin sebebiyet verdiği bir dikkatsizlik ve başıboşluk içinde iken önümüzde alternatifler beliriverir. Bir anda, iki zıt çekimin etkisi altında kalır; ve vicdanımızın sızısını duya duya, "Yanlış ama..." diye diye, nefsin istediğini yaparız. Sonrasında, yani nefsin o ânlık hazza ulaşmasının hemen akabinde, uyanır, ikide bir "N'aptım ben?" demeye başlarız. Nefis yapacağını yapmış, alacağı geçici hazzı almıştır. Geride kalan, ruhumuzun duyduğu acılardır. Ne ruh, ne kalb, ne de vicdan işlediğimiz bu günah halini bize yakıştırır. Utanırız.

Yapılanın yanlışlığı bizce âşikârdır çünkü. Bunun farkına, daha yaparken varmışızdır. Bu fiilin yanlışlığını belki onlarca, yüzlerce kez konuşmuş, düşünmüş, aklımıza yazmışızdır da. Dahası, belki daha önce de aynısını yapmış; ardısıra gelen pişmanlıklarla bir daha yapmama sözü bile vermişizdir. O günah ânında bunlar uçuşur gözümüzün önünde; gelgitler, dalgalanmalar, iniş çıkışlar yaşanır. Ama, göz açıp kapayıncaya kadar, o iş oluverir.

Bu hali sorgularken çözemediğimiz en önemli sır, kalbimize, vicdanımıza ve ruhumuza rağmen o günaha nasıl da girebildiğimiz, nasıl da o çirkin fiili irtikap edebildiğimizdir. İşlediğimiz o günahı kalbimize yakıştırmayız; çünkü Samed âyinesidir kalb. Vicdanımıza da yakışmaz; çünkü o 'fıtrat-ı selîme'dir, bize doğruyu ikaz eder, doğruya işaret eder durmaksızın. Ruhumuza da yakışmaz; çünkü Rabbimizin emrindendir ruh, ancak ona muhatap olmamızla gıdalanır. Her üçü de ya dosdoğru işler, veya işlemezler. Ama kesinlikle yanlış işlemezler.

Peki, o halde neden günah işleriz?

İşte bu noktada, çoğu kez gaflet edip unuttuğumuz iki husus çıkıyor karşımıza: "herkeste nefis vardır," bir. "Nefis daima şeytanı dinler," iki. Dahasını Said Nursî'den dinleyelim: "Hem bazan kalb, ruh ve aklın rağmına hükmünü icra eder."

Yani kalb, ruh ve aklımız imanı, ubudiyeti, rıza-yı ilâhîyi tanıyor, biliyor ve ona göre yaşamayı istiyor olabilir. Ne var ki, nefis yine de hükmünü icra edebilmekte, günah yine de kapımızı çalabilmektedir. Bu noktadan hareketle olsa gerek, hikmet ve şefkat kahramanı olan İslâm uleması, 'iman-amel' ayrımı yapmışlar. "Amel imanın cüz'ü değildir. Ama istiğfar imanın cüz'üdür" demişler. Yani mü'minin de günah işleyebileceğini; ama bundan dolayı Rabbinden özür dilemeye açık olduğunu; günahı günah diye bilerek, asla yaptığını savunma cihetine gitmeyeceğini ders vermişler.

Sözün kısası, istiğfar sayesinde, bir kere sözüne uyup günaha düştüğümüz şeytana, ikinci bir kere tâbi olmamış oluyoruz. Günah işlesek dahi, hiç olmazsa o günahı günah saymama gibi daha büyük bir günahtan kurtulmuş oluyoruz.

Şeytana bir olayda bir kere tâbi olmaktan daha kötüsü, aynı olayda ona iki kere tâbi olmaktır velhasıl. Hem günaha düşmek, hem de istiğfar etmemek...

Oysa Muhbir-i Sâdık (a.s.m.), "Mü'min bir delikten iki kere ısırılmaz"[54] buyuruyor. Hemen her gün işlediğimiz onca günaha karşı, bizi 'ikinci ısırma'nın panzehiri olan istiğfara çağırıyor.

Özür dileyebilene ne mutlu...

İstiğfarda ısrar

BUGÜN BİRÇOK EHL-İ DİNİN içinde olduğunu gördüğüm bir açmaz var. Rabbinin rızasını kazanma yolunda günahın uzağında olmak isteyen pek çok mü'min, istemediği halde hataya ve günaha düşme gibi bir durumu da yaşıyor. Hatta, aynı hataya ve aynı günaha tekrar tekrar düşebiliyor. Ve bu hal, onu kendisinden ve imanından şüphe eder bir duruma sürüklüyor. Kişi, imanındaki samimiyeti sorgulamaya başlıyor. "İnanıyorsam, niye bu günaha düşüyorum; bu günaha tekrar tekrar düşüyorsam, ben nasıl mü'minim?" şeklinde bir sorgulamanın kıskacında yaşıyor niceleri.

Hadis ve siyer kitaplarını okuduğumuzda, bu sorgulamanın sadece bugünün mü'minlerine mahsus olmadığını anlıyoruz. Görüyoruz ki, sahabiler de benzer bir sorgulamayı yaşamışlar. Benzer bir endişeyi onlar da taşımışlar.

Taşımışlar; çünkü âlemlerin Rabbi, Âl-i İmran sûresinin 135. âyetinde mü'minleri tarif ederken "İşlediklerinde [günahlarında] bile bile ısrar etmezler" buyuruyor. Yani, mü'minin vasıfları arasında 'günahta ısrar etmeme'yi de sayıyor. Durum bu olduğu halde tekrar tekrar günaha düşüyor olmaları, sahabileri de imanları konusunda endişeye sevketmiş bulunuyor. Tâ ki, ilgili âyette belirtilen 'günahta ısrar'a dair tavzihatı Kur'ân'ın mübelliği ve en birinci müfessiri Peygamber Efendimiz aleyhissalâtu vesselamdan işitinceye kadar.

Terazinin bir kefesine âyetin hükmünü, öteki kefesine kendi hallerini koyup endişeye kapılan sahabilerine, Hz. Peygamber şu tavzihatı getiriyor: İstiğfarı yapılan bir günahın tekrar işlenmesi günahta ısrar sayılmaz. Günde yetmiş kere işlenmiş olsa bile...[55]

Bu hadisten anlaşıldığına göre, bir kere düştüğü hataya tekrar düşen bir kişi, sırf buna binaen 'günahta ısrar edenler'den sayılmıyor. Kişi, düştüğü hatadan, işlediği günahtan dolayı Rabbinden özür dileyip istiğfar etmiyor olduğu halde tekrar tekrar o günahı işliyor ise, işte bu 'günahta ısrar' sayılıyor.

Yani, yaptığının yanlışlığından kalben, ruhen, vicdanen ve lisanen rahatsız olmayıp istiğfar dileme ihtiyacı duymadan tekrar tekrar aynı günahı işleyen kişi; diğer bir deyişle, düz bir günah çizgisini kesintisiz biçimde sürdüren bir kişi günahta ısrar etmiş oluyor. Buna karşılık, inişleri çıkışların, düşüşleri yükselişlerin takip ettiği; günah-istiğfar-günah-istiğfar-günah-istiğfar sarkacında yaşanagelen bir gündelik hayat çizgisinde 'günahta ısrar'dan söz edemiyoruz. Zira burada bir tekrar tekrar işlenen günah olgusu olsa bile, bu, olsa olsa 'kesik çizgi' sayılıyor—günaha her düşüşünde istiğfarda sebat eden mü'min, aynı günahı aynı günde yetmiş kere işlemiş olsa bile...

Basit bir geometrik örnekle biraz daha açacak olursak: İşlenen her bir günah için bir cm.lik bir çizgi çizelim. İkisi de günde yetmiş kere aynı günahı işlemiş iki insandan biri hiç istiğfar etmesin, diğeri istiğfarı ihmal etmesin. Bu durumda, hiç istiğfar lüzumu görmeyen kişi o gün için 70 cm.'lik bir 'günahta ısrar' düz çizgisi çizerken, yetmiş günah işleyip yetmiş istiğfar eden mü'min bir cm.lik yetmiş ayrı kısa çizgi çizmiş oluyor— yetmiş cm.lik düz ve uzun bir çizgi değil.

Yani, mü'min ile münkirin, muti ile asinin farkını, içtenlikle istiğfar edebilme yeteneği belirliyor.

Bir diğer açıdan, hadisten öğrendiğimiz o ki, Rabbimizin rızasına uymayan günahlara kalbimiz ve vicdanımız istemediği halde düştüğümüzde, bu durumun 'yanlışta ısrar' tablosuna bürünmemesi için, istiğfarda ısrar etmemiz gerekiyor.

Bilvesile, Rabb-ı Rahîm'in "Allah'ın rahmetinden ümit kesmeyiniz" ve de "Allah bütün günahları affeder" buyurduğu 'ümit âyeti'nde[56] bize Kendisini Gafûr ismiyle tanıttığını da hatırlayalım. Gafûr ismi ki, Allah'ın affediciliğini, O'nun affetmekten bıkmayışını, tekrar tekrar affediciliğini bize bildiriyor.

Madem o Gafûr'dur, ve madem O'nun peygamberi bizi istiğfarda ısrara davet etmiştir; o halde, günahta ısrar tehlikesine karşı istiğfarda ısrar etmemiz gerekiyor.

Umulur ki, istiğfarlarımız bizi işlediğimiz ama kalbimizin hoşuna gitmeyen günahlardan uzaklaştıran bir manevî kalkan olsun...

Keyfiyet

GÜNAHLARIN BİN KOLDAN saldırdığı, günaha açılan yolların çoğaldığı bir ortamda yaşayan ahir zaman mü'minlerini—hele bir de şer kapıları açık ve serbest iken hayır ve hakikat kapılarının kapalı tutulmak istendiği bir ortamda—kuşatan bir yeis hali, epeydir dikkatimi çekiyor. Öyle ki, takva ve tâatine imrendiğim, ben de o durumda olabilsem diye arzu ettiğim kimi insanların dahi zaman zaman bir bedbinlik halet-i ruhiyesine düşebildiklerini görüyorum.

Bütün bu bedbinlik ve me'yusiyetin arkasındaki sebep belli: yapılması gerekenleri yeterince yapamama, ama yapılmaması gerekenlerin hatırı sayılır kısmını yapıyor olma. Yani, emr-i ilâhî karşısında tâat ve teslimiyete, nehy-i ilâhî karşısında ise takva ve sakınmaya lâyıkınca muvaffak olamama. Bir bakıma, birçok mü'min, kendisi açısından bir muhasebe yapıp bir hata-sevap cetveli çıkarmaya kalktığında artıların eksileri ortadan kaldırmaya hiçbir zaman yetmeyeceği gibi bir zanna kapılıyor.

Bu zannın gerisinde, istiğfarın kritik önemini gözardı eden

bir cihet kesinlikle mevcut. Rabb-ı Rahîm bir kul olarak ve kul olmanın getirdiği zaafları üzerinde taşıyanlar olarak bizden 'hiç kirlenmeme' gibi birşeyden ziyade 'temizlenme' istediği, 'hiç yanlış yapmama' yerine 'yanlıştan dönme'yi istediği, "Allah tevbe edenleri [yanlıştan geri dönenleri] sever; temizlenenleri de sever" misali âyetler ile bunu defaatle ders verdiği halde, samimi bir tevbe ve istiğfarın işlenen yanlıştan hasıl olan günahın affına vesile olduğu hususu atlanıyor öncelikle. İman ile amel arasında bir bağ ve de bir mesafenin olduğu, imanın gerektirdiği amele muvaffak olamadığımız mesafeli durumlarda, ameldeki muvaffakiyetsizlikten dolayı istiğfar ve tevbenin bir telâfi imkânı sunduğu da atlanıyor.

Bu çerçevede düşülen bir diğer hata ise, kemmiyete, yani sayıya dayalı bir muhakemenin zihinlere hakim olması. Amellerin sayısal ağırlığı bir yana, günahların sayıca çokluğu öte yana konularak bir tartı yapılıyor. Keyfiyetçe çok yüksek bir amelin kemmiyetteki bu problemi çözebileceği, günahların ağır bastığı bu terazideki manzarayı tersine çevirebileceği hususu görülemiyor. Meselâ bir gram altının, kemmiyetçe bir kilo demirden bin kat küçük olsa bile, keyfiyetçe bir kilo altından çok daha değerli olduğu kabilinden mizanlar ve muhakemeler nedense kurulamıyor.

Çünkü, kendisine tâbi olanların salih olmaktan fersah fersah uzak amellerini dahi 'salih amel' gibi gösterip onları rahatlatan şeytan, öte tarafta el'an birçok farzları ifa edip büyük günahlardan sakınan ama bazı amellerde zaaf gösteren ve bazı günahlara düşen mü'minler için tam aksi bir silahı kullanıyor. Ömründe belki hiç namaz kılmamış çok insanı "Ben iyiliği severim. İyiyim de. Namaz kılanlardan bile iyiyim. Çünkü kalbim çok temiz" gibi gerekçelerle ucba ve gurura sürükleyen şeytan, öte tarafta sadece bazı günlerde sabah namazına kalkmaya muvaffak olamayan bir mü'mini "Sen ne biçim mü'minsin? Mü'min adam her sabah namaz için dimdik ayakta olur.

Mü'min misin sen gerçekten?" gibi desiselerle ye'se atmaya çalışıyor.

Bu desise karşısında istiğfar ve tevbe silahını kullanamayan, öte yanda kemmiyet-keyfiyet denklemini de düzgün kuramayan çok sayıda ehl-i din, imanına dair şüpheler ve tâati cidden başarabileceğine dair tereddütler ile gelen bir me'yusiyet yaşıyor açıkçası.

Oysa, yakın zamanda bir kez daha okuma imkânı bulduğum pek çok hadis, şeytanın bu iki büyük tuzağını bertaraf edici dersler taşıyor hayatlara. Ameline güvenmenin, yani kendini amel-i salihada tastamam muvaffak görmenin, yani "Bu yaptıklarım ile ben Allah'ın rızasını kesinlikle kazanırım" gibi düşünceler taşımanın zaman zaman günahlara düşmekten daha riskli bir durum olduğunu bildiren hadisler mevcut olduğu gibi,[57] 'din konusunda Allah'la yarışma'nın, yani cennete lütf-u ilâhî ile değil, ameli ile ulaşacağını sanmanın tehlikelerine işaret eden hadisler de mevcut.[58]

Öte yandan, insanın bazı imanî ölçüleri hayata taşıması ve bazı salih amelleri yapması ile büyük sıçramalar yapma imkânı bulunduğunu bildiren hadisler de...

Risale-i Nur'da vurgulanan, şu ahir zaman mü'minlerinin de kesinlikle şuurunda olmaları gereken "Bir saat tefekkür, bir sene [nafile] ibadetten daha hayırlıdır" hadisi,[59] bunun bir örneği. Bu tefekkür ibadetinin hakkını şu zamanda tam vermiş bir mü'min olarak Bediüzzaman'ın meselâ "*Ve hüve alâ külli şey'in kadîr*" hakikati dahilinde yaptığı tefekkürle gelen sıçrama, bunun bir delili olsa gerek. "Yirminci Mektub"un bilhassa ikinci makamında bu hakikat anlatılırken, tefekkürsüz biçimde bu hakikati zikr ile tefekkür ederek bu hakikati zikr arasındaki derece farkını açıkça görüyor insan.

Buradaki '*şey*' üzerinde ciddiyetle durmayan, bu 'şey'i sadece etrafında gördükleri ile sınırlı tutan birinin tesbihat ve tahmidatındaki hacmi bir tarafa koyun; bu 'şey' ile kâinatın zerrelerden galaksilere bütün cirmlerini anlayan, dahası o Kadîr-i Zülcelâl'in Hallâk, Hayy ve Kayyûm isimlerini tefekkürüne dahil ederek bütün bu cirmlerin her an yeniden yeniye yaratılışını düşünen, ve son tahlilde '*külli şey'in*'e dair tefekkürü kâinatın ilk yaratılış anından bugüne dek yaratılagelmiş her bir şeyi içine alır şekilde genişleyen bir insanın tesbihat ve tahmidatındaki derinlik ve hacmi ise öteki tarafa... İkisi de aynı lâfzı tekrar etse bile, bu iki insanın bu lâfzı aynı derinlik ve ağırlıkta söylediği söylenebilir mi? İkinci insanın alacağı sevap, birinciden kat kat fazla olmayacak mıdır? Veya şöyle diyelim: Bu lâfzı birinci şekilde söyleyegelmiş bir mü'min, ciddi ve yoğun bir tefekkürün eşliğinde bu lâfzı ikinci şekilde söyler hale geldiğinde muazzam bir sıçrama yaşamayacak mıdır?

Cüveyriye validemizin rivayet ettiği bir hadisi de bu bâbda ahir zaman mü'minleri için çok öğretici buldum ve me'yus bazı kardeşlerimizin bilmesi ve şevke gelmesi için bu hadisi paylaşmayı istedim.

Bir gün, sabah namazını kıldıktan sonra namazgâhında tesbihat ve tahmidata devam eden Cüveyriye validemizin yanından kalkan Efendimiz (a.s.m.) kuşluk vakti tekrar aynı odaya döndüğünde onu aynı vaziyette görüyor ve saatlerce o vaziyette kalmış olan Cüveyriye validemize üç kere tekrar ettiğinde bu kadar saat zarfında ettiği tesbihattan hasıl olan sevaptan daha fazlasını ona kazandıracağı müjdesiyle, şu tesbihatı öğretiyor:

"*Sübhânallâhi ve bihamdihî adede halkıhî ve radiye nefsihî ve zinete arşihî ve midâde kelimâtihî.*"[60]

Açıkçası, câmi, geniş, hiçbir mahlukatı dışarıda bırakmayan, küllî bir tesbihat öğretiyor Resûl-i Ekrem (a.s.m.). Cüveyriye validemiz vesilesiyle hepimize, Allah'ı 'mahlukatı sayısınca, nefsinin rızasınca, arşının ağırlığınca, kelimelerinin adedince' tesbih etmeyi öğretiyor. Bu öyle câmi ve küllî bir tesbih ki, sınırlı ve cüz'î kalan ama vakitçe saatler alan bir tesbihten kıymetçe ve değerce daha üstün olabiliyor!

Hz. Ömer'den (r.a.) gelen bir rivayette ise, yukarıda Bediüzzaman'ın bir tefekkürüne vesile olarak zikrettiğimiz "ve hüve alâ külli şey'in kadîr" cümlesini de içeren bir zikrin, "*Lâ ilâhe illallâhu vahdehu lâ şerike leh, lehü'l-mülkü ve lehü'l-hamdü yuhyî ve yumîtu ve hüve hayyun lâ yemûtu bi-yedihi'l-hayr ve hüve alâ külli şey'in kadîr*" lâfzının değerini ve derecesini öğreniyoruz. Hz. Peygamber, kim çarşıya girince bu zikri ederse, Allah'ın ona bir milyon sevap yazıp ondan bir milyon günah affedeceğini ve onun mertebesini bir milyon derece yükselteceğini müjdeliyor.[61]

Ebu Hureyre radıyallâhu anh'tan gelen bir rivayet ise şöyle: "Resûlullah aleyhissalâtu vesselam buyurdular ki: İki kelime vardır, bunlar dile hafif, terazide ağır, Rahmân'a da sevgilidirler: *Sübhânallahi ve bihamdihî, sübhânallâhi'l-azîm.*"[62]

O yüzden, ahir zaman mü'minleri olarak bizlerin bize bir 'sıçrama' imkânı veren, ham halde kalmış cevherimizden altın ve elmas kıymetinde mücevherler çıkmasına imkân sağlayan tefekkürî ibadet üzerinde yoğunlaşmasını bir zaruret olarak görüyorum. Tefekkürî ibadetle gelen imanî muhakeme sayesinde 'feraset'inden korkulan, şeytanın 'aynı delikten iki kere ısıramadığı' bir kıvama gelmemiz de mümkün; kemmiyetçe ulaşamadığımız bir ağırlığa ve keyfiyete biiznillah ulaşmamız da.

Derdimizin devası ümitsizlik değil açıkçası. Devamız istiğfar, tefekkür, zikrullah, ve de tâate niyet...

Bize tefekkürî ibadetin yolunu ve yordamını öğreten eserleri bu noktada çok ama çok önemli buluyorum.

Kişi sevdiğiyle beraberdir

BİR DİN OLARAK İSLÂM'I 'ekmel' kılan unsurlar sıralanacak olsa zikredilmesi kesinlikle gereken unsurlardan biri, 'denge'dir. İslâm'ın imanî ve amelî esaslarına baktığımızda, çok değişik alanlarda değişik şekillerde tezahür ve tebarüz eden denge, mizan ve muvazene gerçeği ile karşılaşır insan. Celâl-cemal dengesi, dünya-ahiret dengesi, iman-amel dengesi, müjdeleme-uyarma dengesi, ruhsat-azimet dengesi, tergib-terhib dengesi, fert-cemiyet dengesi, hürriyet-nizam dengesi derken, hayatın her alanına nüfuz eden bir denge kuşatır İslâm'la bizi.

Ve bu dengenin özelde ferdî hayatlar için vazgeçilmez bir veçhesini havf-reca, yani korku ve ümit dengesi teşkil eder. Mü'min ne kesin cehennemlik görür kendisini, ne de kesin cennetlik. Terazinin bir kefesinde cehennem korkusu vardır, öteki kefede ise cennet ümidi. Mü'min, hayatı boyu bu denge üzere yaşar; ve terakkisi de bu denge çizgisinde gerçekleşir. Bu dengeyi koruyamayıp kendisini kesin cennetlik görme gafletine düşen ucb ve gurur eksenli bir alçalışa, kesin cehennemlik görme gafletine düşen ise yeis ve ümitsizlik eksenli bir alçalışa maruz kalır.

Sözünü ettiğimiz iki-uçlu alçalışın her çağda örnekleri de tecrübe edilmiştir. İmanla amel arasında kesin bir zorunluluk ilişkisi kuran, o yüzden büyük günah işleyeni kâfir telakki eden Haricî çizgi, çağlar boyu, havf-reca dengesini havf, yani korku yönünde bozmuştur sözgelimi. İmanla amel arasında neredeyse hiçbir bağ görmeme noktasına gelen İbahî çizgi ise, herkesi mevcut haliyle 'kurtulmuş' görme çabası içinde ucba, amelsizliğe, zaaf-ı imana çanak tutan bir sapmayı beslemiştir daima. Oysa, Kur'ân-ı Hakîm, meselâ iman-amel denkleminde, havf-reca dengesinin iki tarafını da eşit derecede içeren kısa ama net bir formül sunar bize. Kelâm-ı Ezelîde sıklıkla okuduğumuz '*ellezîne âmenû ve amilu's-sâlihâti*' ifadesi, aradaki 've' ile, hem iman ile amel arasındaki ilişkiyi, hem de imandan amele geçişte bir mesafenin varlığını beraberce ifade eder.

Gelin görün ki, şu ahir zamanda, havf-reca dengesini kuramamış kimileri bir ifrat-tefrit durumu sergiliyor karşımızda. Bir yanda, cennetin kapısını çoğu mü'minin giremeyeceği kadar daraltan, yani havf-reca dengesini havf yönünde bozmuş ifratkârlar var. Öte yanda ise, herkesi cennete sokmak için ilâhî sınırları zorlayan, âdeta cennetin duvarlarını yıkıp kapıyı genişletmeye çalışan, dengeyi reca yönünde bozmuş tefrit ehli...

Ve, ifrat ehlinin bu çizgisini sürdürüp çok insanı ümitsizliğe, dolayısıyla 'battı balık yan gider' psikolojisine, dolayısıyla da çözülme, gevşeme ve dünyevîliğe sürükler iken istimal ettiği bir hadis de mevcut: "Kişi sevdiğiyle beraberdir."

Bizatihî Kütüb-i Sitte'de söylendiği vesileyle birlikte okuyuncaya kadar genelde hep menfi tarzda ve ümitsizlik aşılamak üzere kullanıldığını şahit olduğum bir hadistir bu. Bu hadise dayanarak, yaşadığımız hayatta sergiledikleri bazı zaaflara, duçar oldukları kimi dünyevîliklere, dünya ehliyle yaşadıkları kimi temaslara binaen birçok ehl-i dinin imanından sual olunduğuna şahit olmuşumdur.

Hadisin bu şekilde kullanımına gerekçe teşkil eden de, şu zincirleme analizdir: Filancanın—veya filancaların—hayatı ortada. Falan ehl-i din filancaya özendiği için böyle yapıyor. Filancaya özeniyor, çünkü onun durumunu beğenip takdir ediyor. Onları beğenip takdir ettiğine göre onların durumunu seviyor demektir. Onların durumunu seviyorsa, onlarla beraber demektir.

Oysa, bu sözün Peygamber-i Zîşanın mübarek dilinden döküldüğü zaman ve zemini görünce, tam aksi bir durumla karşılaşıyor insan. Bu hadis, Buhârî'den öğrendiğimize göre, Ebu Zerr-i Gıfârî gibi Ashâbın amel-i salih konusunda en hassas efradından birinin, ihtimal ki gözünün önündeki Resûl-i Ekrem (a.s.m.) örneğine mukabil tam da Resûlullah'ın yaptığı gibi yapamıyor olmanın getirdiği sıkıntıyla sorduğu bir soru üzerine söyleniyor. "Yâ Rasûlallah!" diyor Ebu Zerr (r.a.), "Kişi bir kavmi sever, fakat onların amelini işleyemezse?"

Cevab-ı nebevî, kısa ama özlü. Ve şefkat dolu:

"Ey Ebu Zerr! Sen sevdiğinle berabersin."[63]

Ki, hadisin Tirmizî'de geçen veçhinde, umumen revaç bulmuş ifadelerle karşılaşıyoruz: "Kişi sevdiğiyle beraberdir."[64]

Kısacası, bu hadis, istemediği halde bid'alara düşen, kalben taraftar olmadığı halde nefsine mağlup olup ehl-i dünyanın dünyevîliklerine kapılan ahir zaman mü'minlerine silkinip gayrete gelebilecekleri bir ümit kapısı aralıyor. 'Sünnet-i seniyyeyi hakkıyla yapamıyor olsan da, yapmayı kalben istiyorsan, yapanı da seviyorsan, inşaallah onlarla berabersin' müjdesini veriyor.

Velhasıl, Resûl-i Ekrem (a.s.m.) bu hadisiyle şu zamanın 'bilen ama yapamayan,' 'isteyen ama yaşayamayan' mü'minlerini öte tarafa atmıyor. Tam aksine, bu tarafa celbediyor.

Vâ esefâ! Bu şefkatli, müjdeli ve de tâate teşvik eden hadis, kimi mizansızların ellerinde 'bilen ama yapamayan,' 'isteyen ama yaşayamayan' mü'minleri öte tarafa dahil etmek için kullanılıyor!

Bugün çokları hadisin bu suiistimali yüzünden kendilerini ümitsizlik çukuruna atıp amel-i salih ve takva konusundaki şevklerini söndürüyorlar. Oysa, kudsî nebînin mübarek ağzından çıktığında sahabiler bu hadisi maksadına uygun şekilde anlamış; bu sözü, Resûlullah gibi yaşamayı sevip bunu lâyıkınca beceremeyişlerine karşı, bu sevginin onları onunla beraber kılacağının müjdesi olarak anlamışlardı. Nitekim, Enes b. Mâlik'in (r.a.) söylediğine göre, "Müslümanlar, bu hadise sevindikleri kadar, başka hiçbir şeye sevinmediler."

Ben de, müjde ve şefkat yüklü bir hadisi bir suiistimalden arındırıp bugünün mü'minlerini sevindireyim istedim.

Tâ ki, kalblerimizdeki bu sevinç iyi şeyler yapabilmek, 'sevdiğimiz' zâtın (a.s.m.) sünnetiyle donanabilmek için bineğimiz olsun. Bu yoldaki niyetimize kuvvet versin, ümidimizi ve iştiyakımızı arttırsın...

Sevginin adresi

ASHAB-I KİRÂM'IN TAKVACA en ziyade temayüz edenlerinden olup ilk Müslümanlar arasında bulunan Osman b. Maz'un, Bedir gazvesinden az zaman sonra, Hicretin otuzuncu ayında vefat ettiğinde, bazı sahabiler kendisi hakkında ziyade medh ü senada bulunurlar. Meselâ, Ensârdan olup evini Osman b. Maz'un'un ailesine açan Ümmü'l-A'lâ, Osman b. Maz'un için, "Ey Ebu Sâib! Allah seni rahmetine kavuşturdu! Allah'ın sana ikramda bulunduğuna ben şehadet ederim!" der. Ümmü Hârice adındaki bir başka sahabi hanım da, onun artık saadete erdiğini söyler. Osman b. Maz'un'un kendi hanımı da, "Osman b. Maz'un! Cennet sana kutlu olsun!" şeklinde cümleler sarfeder.

Böylece uzayıp giden sözlerin her biri karşısında, Resûl-i Ekrem (a.s.m.), perde-i gaybı aralayıp takdir-i ilâhîyi görür gibi edilen bu kesin konuşmaların kulluğun edebine uygun düşmediğini ihtar eden uyarılarda bulunur ve "Onda biz hayırdan başka birşey görmedik" diyerek ekler: "Bununla birlikte,

Allah'ın Resûlü olduğum halde, vallahi bana ne yapılacağını ben bilmem."[65]

Resûl-i Ekrem'in (a.s.m.) bu uyarısı, bir vefat anında yüreklerimizin ziyade rikkat ve firkati ile haddi aşan ifadeler kullanan hepimiz için ciddi bir ders içerir esasında.

Diğer taraftan, Resûl-i Ekrem'in tavsiye buyurduğu ve bilfiil uyguladığı üzere, imanla yaşadığına şahit olduğumuz ölülerimizi hayırla yâd etmek, onlar için hüsn-ü şehadette bulunmak bir mü'min olarak bize düşen bir borçtur. Ancak, Osman b. Maz'un örneğinde sergilenen ikaz-ı nebevînin gösterdiği üzere, bu şahitliğin haddi aşmaması da gerekmektedir. Bir mü'mini eğer şahsen tanıyorsak, yaşayışı itibarıyla onun imanına, ameline, hayatını ne yönde yaşamaya çalıştığına şehadette bulunmamız elbette mümkündür ve hatta gereklidir; ama öte yandan, perde-i gayb bizim elimizde değildir. Bizim gözlerimiz perde-i gaybı delip geçici gözler de değildir. Hem, Hesap Günü mizanı tutacak olan da biz olmadığımız gibi, cennetin kapısı bizim tasarrufumuzda da değildir. Mü'min, mü'min kardeşi için onun şu dünyada yaşadığı hayat itibarıyla bir şahitlikte bulunabilir, kabrin ötesi için de şu dünyadaki hayatına bakarak o mü'min kardeşi hakkında hayır ve hasenat umarak rahmet-i ilâhiyeden bağışlanma ve ihsan dileyebilir; ancak, "O Cennete uçtu!", "Haydi, girdin artık cennete!" gibi kesin ifadeler kullanamaz. Zira, bir kez daha belirtirsek, cennete kimin girip kimin girmeyeceğine karar verecek olan kullar değildir; Âdil-i Kerîm olan Rabb-ı Rahîm'imizdir.

Ve O Rabb-ı Rahîm, gerek Kur'ân'ı ile, gerek Resûl-i Ekrem'inin (a.s.m.) elçiliğiyle, bize ehl-i cennet olabilmenin vesilelerini bildirmiştir. Bu bâbda, Resûl-i Ekrem aleyhissalâtu vesselam, Osman b. Maz'un gibi büyük bir sahabi için "Cennet sana mübarek olsun!" gibi kesin ifadeler kullanılmasına müdahale ederken, ashabını ye'se de düşürmez. Bilakis, sahâbenin şahsında hepimize, mü'min kardeşi için kulluğun edebine yakışır biçimde hüsn-ü şehadette bulunmanın yolunu ve usûlünü öğretir. Nitekim, Osman b. Maz'un radıyallahu anh için, "Vallahi," der, "ben onun iyiliğinden başka birşey bilmiyorum!" Sonra da, Osman b. Maz'un'un hanımının şahsında bütün sahabilerine ve umum ümmetine şu tavsiyeyi iletir:

"Onun hakkında, 'O, Allah'ı ve Resûlünü severdi' demeniz yetişir."[66]

Bu bakımdan, gerek toprağa tevdi ettiklerimizin hayatlarını, gerek kendi hayatlarımızı bu mihverde değerlendirmek; ve bu nebevî irşaddan alacağımız derse binaen, Allah'ın ve Resûlünün sevgisini hayatımızın merkezine yerleştirmek; ve bu sevgimizi, iman ve ubudiyet ile, Habib-i Ekrem'in (a.s.m.) yoluna ve sünnetine ittiba ile teyid etmek gerekiyor.

Tâ ki, ardımızda, Hesap Günü bize lâzım olacak böylesi bir yâd-ı cemîl bırakarak bu dünyadan ayrılalım ve Resûl-i Ekrem'in (a.s.m.) "Kişi sevdiğiyle beraberdir" müjdesi sırrınca hiç olmazsa öte dünyada Resûl-i Ekrem'e kavuşalım.

Geride bıraktıklarımızın hakkımızda "O, Allah'ı ve Resûlünü severdi" diye şahitlikte bulunacağı bir hayatın hepimize nasip olması duasıyla...

Dördüncü Bölüm

İncelikler, nüanslar

Duamız kadar kuluz

ASR-I SAADETTE RESÛL-İ EKREM ve sahabilerinin o kadar azlık ve zayıflıkları içinde benzersiz bir fütuhata erişmeleri ile bugünün ehl-i dininin sayıca çokluğa ve maddeten geniş imkânlara mukabil sönük ve mağlup halde olması, hepimiz için, manidar bir sır hükmündedir.

Bu sırrın çözülmesi için girişilen her çaba, onların hayatları ile bizim hayatlarımız arasında var olan birçok farkı gözler önüne serer. Bu farkların en ziyade öne çıkanı ise, imandaki yakîn ile ameldeki ihlas olsa gerektir.

Esasen, amelde ihlas ancak imanda yakîn ile mümkün olabilen bir haslettir. Bir bakıma, insanın imanındaki yakîn nisbetinde amelinde ihlasa erişebildiği söylenebilir.

Ve, sahabilerin gerek imanlarındaki yakînin, gerek amellerindeki ihlasın apaçık bir tezahürü, dua ile gerçekleşir. İman, en özet ifadeyle, herşeyi O'nun ismine bağlamaktır. İnsan, neyi O'na has kılabiliyorsa, neyi yalnız ve ancak O'nun kudret, ilim ve iradesine mal edebiliyorsa onu Rabbinden ister. Herşeyi

O'na has kılabilen insan, mevcudatı anlama ve açıklamada halis tevhide ulaşabilmiş demektir; ve ancak halis ve has tevhide ulaşabilen insan, başka hiç kimseye ve hiçbir şeye bel bağlamayarak doğrudan ve yalnızca O'ndan bilir, O'ndan ister, ve O'nun rızasını gözetir.

Bunu ne derece başardığımız ise, dua ve münâcatlarımızdan anlaşılabilir.

Dikkat edersek, insan, ancak O'nun kudretine râm edebildiği, O'nun taht-ı tasarrufundan geldiğini bilebildiği şeyler için O'na dua eder.

Meselâ, nefes alıp vermeyi kendinden bilen, aldığı her nefes için şükrü, alacağı her nefes için ise dua ve ilticayı düşünemez. Yahut, gündelik rızkını piyasadan, devletten yahut tabiattan bilen biri, o noktada Allah'a yalvarmaz ve dua etmez. Bu durumdaki kişiler, yalnızca 'sebeplerin sukut ettiği' noktalarda O'na dua ederler.

Halbuki, halis bir mü'min 'sebeplerin sukut etmediği' tek bir nokta görmez. Herşeyin O'nun ismiyle, O'nun havl ve kudretiyle, O'nun izin ve iradesiyle olduğunu bilmenin diğer bir ifadesi, eşyanın varoluşunda sebeplerin tesirini reddetmektir. Sebepler, yaratıcılık noktasında, daima sukut halindedir, bu bakımdan kâinattan dergâh-ı ilâhîye yükselen ancak dua ve münacattır; ve kula düşen, daire-i esbabda kavli, hali, fiili, istidadı ve ihtiyacı ile O'na dua etmektir.

Bu yüzdendir ki, insanlığın en ekmelini, duada da en ileri noktada görürüz. Hadis külliyatlarına kaydolmuş nebevî dualar, o kudsî nebînin her bir şeyi nasıl da Müsebbibü'l-Esbab'dan bilip O'ndan istediğini ayan beyan gösterir. O ki, sahabilerine, "Sizden herkes ihtiyaçlarının tamamını Rabbinden istesin" diye emretmiştir. "Hatta kopan ayakkabı bağına varıncaya kadar..."[67]

Bu, dua ile ubudiyet arasındaki irtibatın, eşyanın ne kadarını O'ndan biliyorsak o kadarını O'ndan istediğimiz sırrının manidar bir ifadesidir. Bu sırdandır ki, o, "Dua ibadettir"[68] sözünün, keza "Dua ibadetin özüdür"[69] sözünün sahibidir.

Ondan ders almış insanlar olarak sahabilerde bu nebevî irşadın izlerini berraklıkla okuruz. Onların olayları yönlendirme noktasında en küçük bir iddiaları yoktur. Onlar, sonucu verenin O olduğunu bilerek kavlî ve halî dualarını ihlasla yapmakta; fakat, ferec ve fütuhatın adresini O'nda aramaktadırlar.

Bu halin hayatlarına yansıması ise, sekînedir. Bu sekîne haliyle, her hal karşısında, hatta en şiddetli tazyik ve tehdit karşısında bile, 'esbabın tesirden eli kısa'lığının, herşeyin ancak 'O'nun havl ve kudreti' ile olduğunun şuuru ile olup bitenleri sükûnet ile karşılamış, Rablerinin gücünü ve iradesini aşmaya hiçbir sebebin güç yetiremeyeceğini bilerek davranmışlardır.

Bu sekîneyi yaşamak ise, insanı daire-i esbabdaki halî ve fiilî duasını hikmetle, sünnetullaha riayetle yapma rahatlığını getirir. Sünnetullaha uygun hikmetli hareketin karşılığı ise, fetih ve zaferdir.

Sahabilerin az sayıda iken az zamanda eriştiği fütuhat ile, bizim olanca çokluğa mukabil yaşadığımız sıkıntı ve yenilgiler, bu bakımdan dikkatli bir tahlil gerektiriyor.

Ve, düştüğümüz yer burası ise, kalkacağımız yerin de burası olması gerekiyor.

'Lâ havle' çekmek

MİRAC-I NEBEVÎ'YE DAİR HADİS rivayetlerinde, Resûl-i Ekrem aleyhissalâtu vesselamın karşılaşıp konuştuğu peygamberlere dair bahisler de vardır. Bu bahislerden öğrendiğimiz üzere, Hz. Peygamber bu semavî yolculuğunda İbrahim aleyhisselam ile de görüşmüş; ve ceddi İbrahim (a.s.) Resûl-i Ekrem'e ümmetine 'dünyada iken çokça cennet fidanları dikmeleri'ni söylemiştir. Resûl-i Ekrem'in (a.s.m.) cennet fidanlarının ne olduğuna dair sorusuna İbrahim aleyhisselamın verdiği cevap ise, "*Subhanallahi ve'l-hamdulillahi ve lâ ilâhe illallâhu vallâhu ekber ve lâ havle ve lâ kuvvete illâ billâh*" şeklindedir.[70]

Öte yandan, Resûl-i Ekrem'in (a.s.m.) çocuklarla olan bir imanî muhasebesinde onlara 'cennet meyvesi' olarak öğrettiği söz de "*Lâ havle ve lâ kuvvete illâ billah*" sözüdür.[71]

Başkaca sahih rivayetlerde de, "Lâ havle"nin yer aldığı bir dizi tesbihat ve tezkirat ile karşılaşırız.[72]

Ve, şu diyarda yaşayan bizlerin de pek yabancısı olmadığı bir ifadedir "Lâ havle." Fakat biz, daraldığımız, sıkıştığımız, diyeceğimiz sözün kalmadığı yerde, tabir yerindeyse bir öfke tezahürü olarak "Lâ havle!" deriz. Deriz de, bu "Lâ havle!" nereden gelmiştir, nereye yönelmektedir; onu bilmeyiz. Düşünmeyiz de.

Oysa, öyle görünüyor ki, Resûlullah'tan öğrendikleri bir söz olarak "Lâ havle ve lâ kuvvete illâ billâh"ı daraldığı, sıkıştığı ve de sözün tükendiği yerde kullanan ilk insanlar her kim ise, onlar bilerek ve anlayarak söylüyorlardı...

Çünkü, "Lâ havle" esbabın sukut ettiği yerdir ve de esbabın sukut ettiği yerdedir.

'Havl' kelimesi, yöneltme ve yönlendirme anlamına gelir; ve yalnız kuvvetin değil, havlin de ancak Allah'a has kılınması çok hikmetli bir tevhid dersidir. Çünkü, kuvvet bir enerji birikimini ifade eder; o, nereye yönlendirilirse oraya akar. Bir barajda birikmiş su, boşaltıldığında, bir mecra bulur ve o mecrada akar. Eğer hazırlanmış bir mecraı yoksa, mecraını buluncaya kadar sel olup ortalığı mahv u perişan eder. Aynı şekilde, bir elektrik akımı, eğer yönlendirilmiş ise, yönlendirildiği mecraya akar; meselâ lâmbamıza ışık vesilesi olur, meselâ bilgisayarımızın çalışmasına vesile olur, meselâ elektrikli treni bir diyardan alıp başka bir diyara götürür. Kuvvet mevcut ama havl nâmevcut ise, yine elektrik örneğini kullanırsak, 'yönlendirmesiz' elektrik kuvveti insanları çarpar, âletlerin devrelerini bozar, evlerde yangın çıkarır, şehirleri yakar yıkar. Yani, ancak tahribe yarar.

Bu iki örnek dahi, kuvvet ve kudreti Allah'a izafe ettiğimiz kadar, 'havl'i, yani yönlendirmeyi de ondan bilmenin ne kadar değerli, ne kadar önemli bir iman talimi olduğunu göstermeye kâfidir. Havlsiz kuvvet bir hiçtir; kuvvet, havl ile beraber anlamlı ve değerlidir.

Nitekim kâinat Allah'ın yalnız kudret ve kuvvetinin değil, havlinin de şahididir; ve her bir şey, (1) mutlak bir kudreti gerektiren varoluşları ile, (2) şer ve tahrip değil, hayr ve maslahat içeriyor olmaları ile, ancak O'nun havliyle, O'nun yöneltip yönlendirmesiyle vücud sahrasında mecralarını bulduklarını bize haber vermektedir.

Kısacası, bir mü'min "*Lâ havle ve lâ kuvvete illâ billah!*" derken, esbab perdesinin ardında işgörenin O olduğunu; herşeyi O'nun çekip çevirdiğini; ve O'ndan gayrı hiçbir şeyin eşyayı ve olayları o yöne yahut bu yöne sevketmesinin mümkün olmadığını ifade etmiş olur gerçekte. Zamanın da, mekânın da O'nun Elinde olduğunu böylece teyid eder.

"Lâ havle" sırrı bize bildirir ki; şartları da O belirler, kalbleri de... O, şu âlemi ve şu âlem içinde insanı yaratmasında mündemiç imtihan sırrınca, günleri de yönlendirir, kalbleri de. Kelâm-ı Ezelîsinde bizzat bildirdiği üzere, O, günleri döndürendir. Gün olur, doğrular galebe çalar. Gün olur, yanlışların hükmü geçer. Bu gelgitler içinde Hâlik-ı Zülcelâl çok esmasını tezahür ettirir ve mü'min kullarına çok esmasını başka başka vecihleriyle öğretir.

Yine O, Resûl-i Ekrem'in bildirdiği üzere "Mukallibe'l-Kulûb"dur. Kalbler O'nun Elindedir; zira onları O yaratmıştır ve inadî bir küfre sapıp ebediyyen mühürlenmeye hak kazanmamış ise, esbab dairesinde bizce en umulmadık kalbleri dahi hayra ve hakka yönlendirebilir. Keza, sebepler tahtında hayra ve hakka yönelmesi imkânsız gözüken şartlardan, çok aydınlık sonuçlar çıkarabilir.

Velhasıl, "Lâ havle!" çekerken, tam ifadesiyle "Lâ havle ve lâ kuvvete illâ billâh" derken, son sözü halkın değil Hakk'ın, yaratılmış olanların değil Hâlık-ı kâinatın söylediğini teyid ederiz esasında.

Bu anlamda "Lâ havle" diyebilsek, herhalde tam da münkirlerin istediği şekilde 'öfkeyle dolup taşanlar'dan olmaz; bilakis, Rabbimizin bizden istediği üzere, '*ve'l-kâzimîne'l-gayz*' tarifine denk düşen, yani öfkesini tutan ve yutan mü'minler olarak yolumuzda yürürüz.

Sözün kısası, esasında her bir şey ve her bir oluş karşısında

"Lâ havle ve lâ kuvvete illâ billâh" gibi cennet hazinelerinden kopup gelen bir sözü söylüyor olmamız gerektiği gibi; bu söze sonradan yüklenen özel anlam itibarıyla bize özellikle "Lâ havle" çektiren durumlarla da yüz yüze gelmekteyiz.

Böylesi durumlarda yine "Lâ havle" diyelim. Ama bu dersle, bu idrakle ve bu şuurla... Sözün gerçek anlamıyla...

İki özgürlük

MATEMATİKTE VAROLSA DA, gerçek hayatta 'tek boyut' diye birşey kesinlikle yoktur. Gerçekte, neye bakarsak bakalım, çok boyutlu bir bütün çıkar karşımıza. Ancak, gözünü kapalı veya bakışını dar tuttuğunda, insanoğlu tek boyutta kalmaya, parçada kaybolmaya mahkûmdur.

Nitekim, genel olarak insanlık tarihi, özel olarak da düşünce tarihi, tek boyutu 'gerçeğin tamamı' olarak görmenin, yolun sonuna geldim zannıyla yarı yolda eğleşmenin, bütüne ulaştım zannıyla parçada körleşmenin sayısız örnekleriyle doludur. Büyük umutlarla başlayan ama hayal kırıklığıyla sonuçlanan teşebbüslerin ardında, böylesi bir körlüğün kesin bir rolü vardır.

Mekke ve Huneyn zaferinin ardından Medine'ye dönüş esnasında Hz. Peygamber'in (a.s.m.) söylediği meşhur söz, bu bakımdan, müthiş bir uyarı hükmündedir. İslâm'ın Arabistan'da galebesini taçlandıran iki büyük zaferin sonunda, kapıda bekleyen 'zafer sarhoşluğu' tehlikesine karşı, ashâbına "Küçük cihaddan, büyük cihada dönüyoruz" hatırlatmasını yapmıştır

Hz. Peygamber. Sahâbe-i kirâm "Büyük cihad nedir ey Allah'ın Resûlü?" diye sorduğunda onun verdiği cevap ise şudur: "Nefse karşı yapılan cihad."[73]

Resûl-i Ekrem aleyhissalâtu vesselam, iki büyük zaferin ardından yaptığı bu uyarıyla, 'cihad'ı yalnızca dış âlemde ve besbelli ortada olan bir düşmana karşı yapılan bir mücahededen ibaret görme zannından ümmetini korumuş; dahası, bu boyutun cihadın yalnızca 'küçük' kısmı olduğunu göstermiştir. 'Büyük cihad'ın ise, 'küçük cihad'ın aksine, yeri ve zamanı belli değildir. Bilakis, bütün bir hayatı kuşatmaktadır. Bu büyük cihadın hedefi ise, 'dışarıda' değil, 'içeride'dir. Ki, ömür boyu sürecek bu büyük cihad unutulduğunda, insanın zafer sarhoşluğu ve gurura düşüp dışarıda kazanılmış bir 'küçük cihad'ın ardından 'kazanmışken kaybetme' durumuyla yüzyüze gelmesi işten bile değildir.

Bindörtyüz yıldan beri dilden dile dolaşan, manevî terbiyeye özellikle dikkat çeken mü'minlerce bilhassa vurgulanan bu Peygamber sözünün mantığını, 'özgürlüğe' uyarlamak da herhalde mümkündür, doğrudur, hatta gereklidir.

Buna göre, galip geldiğinde bizi esir etmesi muhtemel bir dış düşmana karşı yapılan mücahede 'küçük cihad' ise, dıştan gelen baskılara karşı kazanılan bir özgürlük de olsa olsa 'küçük özgürlük' olarak nitelenebilir yalnızca. İnsanın asıl hürriyeti, yani 'büyük özgürlük' ise, yine bu hadisin mantığına göre, içeride kazanılan özgürlüktür—nefse karşı; nefsin aklımızın kabul ve kalbimizin tasdik ettiği doğruları yaşamamızı engellemek için önümüze koyduğu şeylere karşı özgürlük...

O halde, özgürlüğün küçüğü için çabalarken büyüğüne de talip olmalı insan. Büyük özgürlük için de çalışmalı; tâ ki, dıştan gelen baskılardan kurtuluyoruz derken içten gelen bir esaretin zinciri boynuna dolanmasın. Başkalarına karşı özgürlüğüne kavuşsa da, nefsine ve hevasına esir düşerek yaşamasın.

Ne mutlu iki özgürlüğü de beraberce tadabilenlere!

Neden hayâ, imandandır?

HEM BUHÂRÎ'DE, HEM DE Müslim'de yer alan, dahası en muteber altı hadis kitabının beşinde bulunan bir hadisinde, "Hayâ imandandır"[74] buyurur sevgili Peygamberimiz. Yine her iki Sahîh'te yer alan ve Kütüb-ü Sitte'nin tamamında bulunan bir başka hadis ise, "Hayâ imandan bir şubedir"[75] şeklindedir. Yine Hz. Peygamber'in buyurduğu üzere, "Hayânın hepsi hayırdır"[76] ve "Hayâ ancak hayır kazandırır."[77]

Peki, hayâ ile iman arasındaki bu içiçeliğin sebebi nedir? Hayâ, yani utanma duygusu neden 'imandan'dır ve neden 'imanın bir şubesi'dir?

Bu sorulara cevap vermek için, en başta, şu iki sorunun izini sürmek gerekiyor herhalde: İnsan nasıl hayâ duyar? Yahut, hangi durumlarda daha hayâlı davranır?

Kendi hayatlarımız dahilinde tecrübe ettiğimiz üzere, hayâyı, yani utanma duygusunu en yoğun biçimde yaşadığımız haller, 'görüldüğümüzü' ve 'izlendiğimizi' bildiğimiz hallerdir. Yalnız kaldığımızda yapabildiğimiz birçok şeyi, birisi tarafından izlendiğimizi biliyor isek, yapamayız. Ki bu hal, fıtratın kerih gördüğü, insana fıtraten sevdirilmemiş olan bazı şeyleri uluorta yapmaktan bizi alıkoyduğu gibi, günahtan da sakındırır. Kişi hayâsı ölçüsünde açıkça günah işlemekten çekinir, ve hayâsızlığı ölçüsünde alenî günah işler. Bizi tanıyan birinin bizi o halde görmesi endişesiyle gelen psikolojik utanç, çoğu kez, nefsin günaha davetine rağmen, insanı günahtan alıkoyar. Ancak, yine bu yüzden, tanındığı ortamlarda utanılası fiillerden uzak duran insan tanınmadığı ortamlarda daha kolay biçimde günaha düşebilir. Ki, bundan dolayı, yanında bir tanıdığı olmadan tek başına yolculuktan insanı sakındıran, böyle bir durumda şeytanın insana yol arkadaşı olacağını bildiren hadisler vardır.[78] Bu bâbdaki hadislere binaen, refakatinde bir başka mü'minin olduğu halde yolculuk, sünnet-i seniyyedendir.

Açıkçası, hayâ duygusunun, günahtan sakınma noktasında, yanımızda başka insanların olduğu durumlar ile yalnız başına kaldığımız durumlar arasında nasıl bir fark husule getirdiğini kendi hayat tecrübemizle biliyoruz.

Peki, insan yanında başka bir insan yokken, yani yalnız başına iken gerçekten yalnız mıdır?

Hayır.

Yanında bir insan yokken de yalnız değildir insan. O'nun Semî', Basîr, Latîf, Habîr, Alîm bir Rabbi vardır. O'nun Rabbi, Semî', yani işitendir. Basîr, yani görendir. Latîf'tir, her yere nüfuz eder; Habîr'dir, herşeyden haberdardır; Alîm'dir, herşeyi bilir. Sem', basar ve ilim, yani işitmek, görmek ve bilmek, O'nun sıfatları arasındadır. Dahası, Semîu'l-Basîr ve Alîmu'l-Habîr olan Rabbimizin, her işe müekkel melekleri olduğu gibi, insanın fillerini kaydeden melâikesi de vardır.

Yani, insan her an Rabbinin huzurundadır ve melekler her an yanıbaşındadır. Allahu Teâlâ ve vazifeli melekleri, insanla her an beraberdir.

İnsan, bu gerçeği kavradığı ölçüde 'yalnız' iken de yalnız olmadığını bilir; ve bu gerçek aklında kaldığı müddetçe insanların yanında işlemeye utandığı günahtan yalnız iken de sakınır. Zira, bilir ki, etrafında insanlar yoksa bile, Semî ve Basîr olan Rabbinin huzurundadır ve melekler de yanıbaşındadır.

Bu açıdan baktığımızda, hayâ imandandır ve imandan bir şubedir gerçekten. Zira, hayâ duygusunun varlığı ve inkişafı, Allah'ı Basîr (herşeyi gören), Semi' (herşeyi işiten), Alîm (herşeyi bilen), Latîf (herşeye nüfuz eden), Habîr (herşeyden haberdar olan) gibi isimleriyle tanıyıp bilmeye, her an böyle bir Rabbin huzurunda olduğu gerçeğinden gaflet etmemeye, yani iman-ı billaha ve iman-ı billah içindeki marifetullaha bakmaktadır. Yanısıra, melâikeye imana da...

Fıtratımıza konulmuş hayâ duygusu, Semî' ve Basîr olan Allah'a ve meleklerine imandaki terakki sayesinde gelişmekte; hayâ duygusunun gelişmesiyle de, insan takvâ zırhıyla donanıp pek çok günahtan ve pek çok çirkin halden sakınıp korunarak, Rabbinin hoşnut olup meleklerin takdir edeceği salih ameller işlemeye yönelmektedir.

Kısacası, hayâ sahibi olmak ve hele hayâda zirveye ulaşmak ne basit bir iştir, ne de kolay ve sıradan bir iş... Hayâ, imandandır ve imandaki terakki sayesinde bu duyguda bir genişleme ve derinleşme yaşanmaktadır. Hayâda zirveye doğru yolculuk, özellikle de, Semî', Basîr, Alîm, Latîf, Habîr gibi esma-i hüsnaya dair sağlam bir kavrayışla birebir alâkalıdır.

Hayâ ile iman arasındaki bu birebir ilişkidir ki, Hz. Osman gibi bir sahabi, Ashâb-ı Kirâm'ın Resûlullah'ın yanında Allah adına giriştiği savaşlarda iz bırakan büyük bir kahramanlığı görülmediği halde, hayâsıyla şöhret bulmuş bir kişi olarak, sahabilerin en üstünleri arasındadır. Osman (r.a.), imandan bir şube olan ve dillere destan olmuş hayâsı sayesinde, mertebece Hz. Ebu Bekir ve Ömer'in hemen ardında, üçüncü sırada anılmaktadır.

Ölmeden önce ölmek

UBUDİYETİN ÖZÜ VE ÖZETİDİR NAMAZ. Her gün, mühim bir inkılâbın başı hükmündeki beş vakitte namaz kılarak, kul olduğumuzu bir kez daha talim ve teslim ederiz. Tüm bu namazların her bir rekatında ise, Fâtiha'yı okur; ve her Fâtiha okuyuşta, Rabbimizi "*Mâliki yevmi'd-dîn*" [din gününün Mâliki] olarak zikrederiz.

Peki, nedir 'yevmi'd-dîn?' 'Din günü'nden maksat nedir? Bu gün, hangi gündür?

Pek çok tefsirde, Resûl-i Ekrem'den (a.s.m.) ve ashabından gelen haberlere dayanarak, bu 'gün'ün hususan Kıyamet Gününe, Mahşere, Hesap Gününe atıfta bulunduğu söylenir.

Bu açıklamalarla birlikte bir soru aydınlığa kavuşsa da, bu kez yeni bir soru uyanır zihinlerde: Peki, neden Hesap Günü, 'din günü' olarak tarif edilmiştir? Mahşer Gününü 'din' ile tarifin sırrı nedir?

İşârâtü'l-İ'caz tefsiri, bu sorulara cevaben, ufuk açıcı izahlar sunar. Bu kısa ama Kelâm-ı Ezelî olduğu için hadsiz anlamlar yüklü âyetteki 'din' kelimesinden bir maksadın 'hakâik-ı diniye' olduğunu söyler.

Neden? Âyetteki 'din'den bir maksat, neden dinin bildirip ders verdiği hakikatlerdir?

Cevabı ilgili tefsirden okuyalım: "... Çünkü, hakâik-i diniye o gün tam mânâsıyla meydana çıkar."

Devamla, bu cümlenin de izahı sadedinde, şunları okuruz: "Ve [o gün] daire-i itikadın daire-i esbaba galebe edeceği bir gündür... Her ne kadar dünyada daire-i esbab daire-i itikada galip ise de, âhirette hakâik-ı itikadiye tamamen tecelli etmekle, daire-i esbaba galebe edecektir."[79]

Düşüncemizi bu çerçevede genişletecek olursak: Kur'ân-ı Hakîm şu kâinatı her daim Rabbimizi tanıttıran ve sevdiren âyetler ve şahitler olarak nazara verir. Öyle bir Rabbe karşı iman ve ubudiyetle mukabele lüzumunu hissettirir. Resûl-i Ekrem'in (a.s.m.) hayatıyla verdiği dersin özü de budur. Fıtrat da bizden böylesi bir şuur hali üzere olmayı istemektedir. Ne var ki, imtihan meydanı olan şu dünyada, imtihanın bir sırrı olarak hakikat perdelidir. Örtülü ve saklıdır. Ancak 'daire-i esbab'ı aşabilen, 'sebepler perdesi'ni aralayıp her biri birer mevcud ve mahluk olan sebeplerin yaratma ve vücud verme kabiliyeti olmadığını fark edebilen bir insana itikad dairesi açılarak Rabbimizin isimleri ve sair iman esasları gözükür. O gün, yani 'din günü' ise, bunu herkes görecektir. Ama asıl mesele bunu o gün gelmeden bugün görebilmektir. Şu dünyayı şu dünya iken 'daire-i itikad'ın habercisi, delili, işareti ve şahidi kılabilmektir.

Resûl-i Ekrem'in (a.s.m.) "Ölmeden önce ölünüz"[80] derken ihsas ettiği bir sırrın bu olduğunu düşünüyorum. Anladığım kadarıyla, bu sözle, bize şu dersi veriyor Resûl-i Ekrem: Öldüğünde herkesin göreceği hakâik-ı diniyeyi siz ölmeden önce görünüz; şu hayatınızı Rabbinizi tanıyıp sevmek, iman hakikatlerini derketmek, ve o şuurla ubudiyet etmek üzere yaşayınız ki, o gün felaha eresiniz!

Bu işin düğümü ise, bizim açımızdan en büyüğü kendimiz olan 'sebepler'i sonuçtan azletmeye; esbap dairesini itikad dairesinin perdesi değil, aynası ve penceresi kılmaya bakıyor.

Ne mutlu ölmeden önce ölebilenlere!

Ne mutlu öldüğünde gözüyle göreceği hakikatlere ölmeden önce kalb gözüyle bakabilenlere!

Göstergeler

BİR TİBET ATASÖZÜ, "PARMAKLARIM ay'ı gösterirken, aptallar aya değil, parmaklarıma bakarlar" der.

Mecaz ile gerçek, temsil ile hakikat arasındaki ilişki açısından da benzer bir durum sözkonusudur. Bir hakikati akla yaklaştırmak için mecaz yahut istiare yolunu kullanır insan. Veyahut bir misal getirir, bir mesel yoluyla hakikati akıllara yakınlaştırmaya çalışır.

Gelin görün ki, mecaz ile o mecazın işaret ettiği gerçek arasındaki irtibatı kuramayanlar, temsilden hakikate geçemeyenler, hemencecik itiraz ederler. Bu itirazı aklı yetmediği için yapanların durumu, belki mazur görülebilir. Ama öyleleri de vardır ki, aslında akılları mecaz ile gerçek, temsil ile hakikat arasındaki irtibatı kurabilecek durumda olduğu halde, sırf inadına itiraz ederler. Bir bakıma, birinciler aklı yetmediği için itiraz ederken, ikincilerin hali bir 'inadına aptallık' halidir.

Hz. Peygamber'den bir söz varid olduğunda onu can kulağıyla, hüsn-ü niyetle ve de ciddiye alarak dinlemek yerine ilk fırsatta bu hadise lâf iliştirme fırsatı peşinde koşanların sergilediği de, çoğu kez, bir 'inadına aptallık' halidir.

Bu manzara, en bariz biçimde, Hz. Peygamber'in belli sonuçlara işaret eden 'gösterge'leri vurguladığı hadislerde kendini gösterir. Kendini Peygamber'den daha akıllı bilen kimileri, bazı şeylere bazı sonuçların göstergesi olarak dikkat çeken hadisleri ucuz reddiyelerin bahanesi yapma bedbahtlığını sergilerler.

Böylesi bir red karşısında gönlü hadisten yana olanların sergilediği davranışlar ise, üç başlık altında toplanabilir. Bir grup, ilgili hadisi 'gösterge-sonuç' bağlantısından azade olarak sırf lâfzen anlar ve öyle kabullenir; ki bu, insanı hadisin özüne nüfuzdan alıkoyacaktır. İkinci bir grup da, ilki gibi, hadisi sırf lâfzen anlar, gösterge-sonuç ilintisini kuramaz, ve bu lafzî anlamı da aklına sığıştıramadığı için ilgili sözün hadis olamayacağını iddia etmeye başlar. İlgili hadislerin lâfzı ile işaret ettiği anlam arasındaki ilişkiyi doğru biçimde kurabilen üçüncü grubu ise, genellikle daha az sayıda insan temsil eder.

Bir örnekle açacak olursak; meselâ 'esneme'yle ilgili hadis, ilginç bir gösterge hadisidir. Hz. Peygamber, "Esneme şeytandandır"[81] buyurmuştur. Hadis, devamında, Hz. Peygamber'in bir esneme vâki olduğunda insanın mümkün mertebe kendini tutması, ağzını yayıp hah diye ses çıkarmaması gibi, ağzını kapaması gibi terbiye edici unsurlar da içerir. Bu yönüyle, esneme hadisi, Hz. Peygamber'in mü'minleri nasıl insaniyetin en ince noktaya kadar terbiye edip yetiştirdiğini de göstermektedir.

Ancak, hadise temiz bir niyetle muhatap olmayanlar hem bu ikinci kısımdan gafildirler, hem de birinci kısmı bir 'gösterge' olarak değil de karikatürize bir surette anlamaya meyyaldirler. O yüzden, İslâmî hassasiyetiyle mâruf meşhur bir simayı meselâ bir toplantıda esner vaziyette gördüler mi, değmeyin keyiflerine! Ertesi gün gazetelerin birinci sayfasında ucuz ve çiğ bir foto-haber görürsünüz. Üstte esneyen bir adam fotoğrafı, altında alaycı bir başlık: "FİLAN KİŞİ ŞEYTANA UYDU!" Onun da altında kısacık bir açıklama: "Hz. Muhammed'in 'Esneme şeytandandır' demesine karşılık, dün filan yerde yapılan falan toplantıda filanın sık sık esnemesi gözlerden kaçmadı."

Bu kadarlık ucuzluğa pes denilebilir. Ama, bunlar, gerçekten yaşanan şeylerdir. Üstelik, bu şeyler, müthiş bir ukalâlık içinde yapılagelmektedir.

Hakikatli bir peygamber sözünü ve de bu peygamber sözü üzerinden mü'minleri bu şekilde alaya almaya kalkanlar, kötü niyetin yol açtığı akıl körlüğüyle kendilerini maskara etmektedirler gerçekte. Zira, en başta, Hz. Peygamber'in bu hadisle kendilerine muhatap olduğu kişiler, şeytanın yeryüzü temsilcisi Mekke müşrikleri değil, Medine'deki sahabilerdir. Ve bu hadis, namaz kılarken bazan kendilerine bir esneme geldiğini belirtip bu durumda ne yapmaları gerektiğini sual eden sahabilere söylenmiştir. Cevab-ı nebevî ise, esnemenin bir 'gösterge' olduğuna dikkat çekmektedir.

Peki, o neyin göstergesidir?

Esneme, hepimizin bizatihî tecrübe ettiği gibi, iki şeyden kaynaklanır. Ya çok yorgunuzdur, vücudumuz uykuya yatıp dinlenmek istemektedir; yahut, dikkatimizi bulunduğumuz ortama ve yaptığımız işe verememişizdir, bedenimiz orada olsa bile ruhumuz ve aklımız o ortamdan şu veya bu derece uzaklaşmış haldedir. Öte yandan, mü'min namazda iken, onun zihnini bu ortamdan çekip almak için çabalaması kadar şeytandan beklenilir bir hal yoktur. Diğer taraftan, yorgun olduğu için dikkatini bir hakikate veya hakikatli bir amele veremeyen bir insanın yapması gereken, bir işe yaramasa da inadına o ortamda kalmak için direnmek değildir. Bilakis, dinlenerek kendini salim ve sağlam bir kafayla hakikate râm olmaya hazırlamaktır.

Açıkçası, esneme hali, bedenimizle hâzır bulunduğumuz bir ortamda akıl, kalb ve ruh gibi insanî melekelerimizin yeterince iş görmediğinin, yani insaniyetimiz cihetiyle o ortamdan koptuğumuzun göstergesidir. "Esneme şeytandandır" buyurmakla, Hz. Peygamber işte bu durumun 'şeytandan' olduğunu bildirmekte; bizi esneme göstergesinin ifşa ettiği bu durumu aşmaya davet etmektedir: Yorgunsan dinlen! Yorgun olmadığın halde koptuysan, aklını başına topla!

Benzer bir muhakeme, aile efradının yemeği bir sofrada beraberce yemesinin bereketi arttırdığını, ayrı ayrı yemenin ise bereketi kaldırdığını bildiren hadis için de uygulanabilir.[82] Bir evde aile fertlerinin beraberce yemek yiyor oluşu âhengin ve düzenin, ayrı ayrı yiyor oluşları ise âhenksizlik ve düzensizliğin göstergesidir. Bu iki zıt halin aynı sonucu husule getirmesi elbette beklenemez.

İki 'gösterge' hadisi için tatbik ettiğimiz bu mantık, belli halleri belli durumların göstergesi olarak tarif eden diğer hadislere de uygulanabilir.

Gösterge hadislerine bu çerçevede bakıldığında ise, 'inadına aptal'lar hadislerin lâfzî anlamına takılıp küstahça reddiyeye kalkışırken, gerçekte bu hadislerin her birinin ay gibi parlak hakikatleri bize gösterdiği görülecektir.

Sûret çarşısı

İÇİNDE YAŞADIĞIMIZ KÂİNATIN en açık gerçeklerinden biri, gerçeklerin nisbî ya da göreceli niteliğidir. Bu kâinat, ya siyah ya beyaz, ya güzel ya çirkin, ya iyi ya kötü, ya aydınlık ya karanlık gibi mutlak, kesin ve keskin ayrımların diyarı değildir. Bilakis, siyahın ve beyazın, güzelliğin ve çirkinliğin, iyinin ve kötünün, aydınlığın ve karanlığın dereceleri vardır.

Kâinatın neden bu durumda yaratılmış olduğu sorusuna selim kalblerin ve müstakim akılların asırlar boyu veregeldiği ortak bir cevap vardır: Çünkü, kâinatın yaratılış amacı böyle bir derecelilik içinde gerçekleşir. Bu kâinat, kendi güzelliğini, mutlak ve sınırsız isim ve sıfatlarıyla görmek ve göstermek isteyen bir Zât-ı Zülcelâl tarafından yaratılmıştır; ve onun bu güzelliği görüp takdir etmek üzere yarattığı insan, bu görevi ancak bir 'nisbîlikler,' 'derecelilikler' dünyasında gerçekleştirebilir. Zira insanın, bir yaratılmış olarak, yaratılmışlığının zorunlu sonucu olan sınırları vardır. Bilgisi, algısı, bakışı, iradesi, gücü... sınırlıdır. Dolayısıyla, kendisini ve kâinatı yaratan Zâtı mutlak ilmi, iradesi ve kudreti ile kuşatıp kavrayamaz. Mutlak ve sınırsız bir biçimde karşısına çıktığında, hakikati tanıyıp tanımlayamaz. Bu durumda, hakikati mutlak sûrette görmek yerine, göz kamaşmasıyla gelen bir körleşmeye maruz kalır— tıpkı güneş ışığına baktığımızda, görme kapasitemizin artmaması, bilakis gözümüzün körleşmesi gibi... Bu sırdandır ki, o Zât-ı Zülcelâl, kâinatı 'şiddet-i zuhurundan gizlenip azamet-i kibriyasından ihtifa ederek' yaratır. Yani, mutlak isim ve sıfatlarını 'göreceli,' 'dereceli' bir sûrette tecelli ettirir.

Kâinatta zıtların varlığı, işte bundandır. Bu kâinatı yaratan, güzel-çirkin, iyi-kötü, fayda-zarar, mükemmel-noksan, aydınlık-karanlık... gibi zıtları birbirine karıştırarak müthiş bir çeşitlilik içinde yaratmış; böylece bize O'nun mutlak isim ve sıfatlarını bu nisbîlik üzerinden tanıma imkânı sağlamıştır.

İnsanın kâinatın içindeki mevcudları, meselâ güzellik açısından, çok güzel-güzel-fena sayılmaz-çirkin-çok çirkin gibi bir sınıflamaya tâbi tutabilmesi işte bundan dolayıdır. Elbette, bir adım ileri gittiğinde 'güzel' görmediği şeylerde dahi, güzel şeylerdeki güzelliğin farkedilmesini sağlama gibi güzel bir özellik görür insan.

İnsanlık âlemine baktığımızda da, kâinatı kuşatan bu dereceliliğin insanlar arasında da değişik yansımalarını görürüz. İnsanlar, ne güç bakımından birbirine eşittir, ne akıl bakımından, ne duygu bakımından, ne ahlâk ve ne de güzellik bakımından. Güçlü-zayıf, akıllı-akılsız, iyi-kötü, duygulu-duygusuz, güzel-çirkin zıtları arasında değişik salınımlar sergiler insanoğlu. Bütün dünyaya iyi ahlâk örneği sunan insanlar kadar, ahlâkının kötülüğünden bütün dünyanın sakındığı insanlar da vardır. Gücüyle efsanelere ilham kaynağı olmuş insanlar çıktığı gibi, parmağını kıpırdatmaktan aciz insanlar da yaşamıştır. Güzelliğiyle dillere destan olanlar kadar, çirkinliğiyle şöhret bulmuş insanlar da vardır.

Bu dereceli tecelliler tablosunun göze ve gönüle hoş gelen

tarafına insanın fazla bir itirazı yoktur. Buna karşılık, akıl bu nisbîlik sırrını kabullense bile, her insanın vicdanı bu tablonun olumsuz gözüken tarafına dair sorular sormaktadır.

Ve, bilge bir insan olmak, iyi bir insan olmak, hatta güçlü bir insan olmak bir derece insanın iradesine, eldeki kabiliyetleri iyi kullanmasına bağlı olduğu için, vicdanın bu noktadaki sorularına cevap vermek nisbeten kolaydır. Ama özellikle güzellik sonradan edinilen birşey olmadığı için, dahası 'estetik amaçlarla' vücuduna cerrahi müdahalede bulunmak Allah ve peygamberi tarafından hoş karşılanmadığı için, "İyi ama, çirkinlerin günahı ne?" sorusu öylece ortada kalmaktadır.

Kendisi ister güzel olsun ister çirkin, veya şöyle diyelim, kendisini ister güzel bulsun ister çirkin, her insanın vicdanı bu soruyu sorar.

Buna karşılık, insanlık tarihine, hatta yalnızca kendi yaşadığı döneme ve kendi çevresine bakan her insan bu sorunun yol açtığı vicdanî sızının hiç olmazsa şiddetini hafifleten bir dizi gerçekle pekâlâ tanışabilir.

Meselâ, güzelliği kendisi için felâkete, pek güzel olmaması ise kendisi için saadete dönüşmüş pek çok insan vardır. Çok güzel ama mutsuz insanların sayısı, pek güzel olmadığı halde mutlu insanların sayısından daha az değildir. Benzer şekilde, nice güzel insan, çevresinin ve kendisinin bu güzelliğe yönelik aşırı vurgusuyla, başkaca insanî kabiliyetlerini yeterince geliştirememiş durumdadır.

Nitekim, güzel ama huysuz, güzel ama şımarık, güzel ama kaprisli, güzel ama geçimsiz diye tanımlanan insanlara her çevrede rastlanabilmektedir. Dahası, güzelliğe yönelik bir vurgudan veya güzelliğin verdiği bir güvenden dolayı aklî yeteneklerini geliştirmeye fazla özen göstermeyen insanların çokluğundan dolayıdır ki, 'aptal sarışın' diye bir deyim dillere yer etmiş durumdadır. 'Güzel' insanlar, özellikle 'sarışın güzel'ler akıl ve zekâ itibarıyla diğer insanlardan 'daha geri durumda' yaratılmadıkları halde bu deyimin dillere bu kadar yerleşmiş olması, elbette manidardır.

Tablonun pek güzel olmayanlar, hatta 'çirkin' denilecek durumda olanlar tarafında ise, bunun tam zıddı görüntülere rastlamak her zaman için olasıdır. Güzelliğiyle kaybedenler kadar tanıdık bir olgu, pek de güzel olmayışını kazanca dönüştürenlerin varlığıdır. Vasat bir güzelliği olan, hatta kimilerinin çirkin gördüğü nice insan, ya ahlâk, ya akıl, ya görgü itibarıyla nice güzele göre daha tercihe şayan durumdadır. Pek de güzel olmayan güzel ahlâklı bir insanın dostlarının sayısı, güzel ama huysuz insanlardan kesinlikle daha fazladır. Güvenip dayanacağı düzeyde aşikâr bir güzelliği olmayışının sevkiyle bilimde, sanatta, maneviyatta daha ileri noktalara çıkabilmiş insanlar azımsanmayacak sayıdadır. Nitekim, Allah'ın onu yarattığı halden hoşnut olup, 'dünyalar güzeli' olmayışına şükreden pek çok insan olsa gerektir.

Kısacası, ne güzellik tek başına insana yetmektedir; ne de yeterince güzel olmamak, hatta çirkin olmak insan için bir felâkettir. Bilakis, insanın hayat yolculuğunun iyiye veya kötüye doğru seyri, Allah'ın onu yarattığı hali nasıl değerlendirdiğine göre şekillenmektedir.

Ancak bu vâkıa insanın vicdanından kopup gelen o soruyu—şiddetinden epeyce şey kaybettirse de—büsbütün izale etmemektedir. En başta, hem güzel, hem akıllı, hem de iyi ahlâklı insanların varlığı, 'yeterince güzel' görünmeyen, dahası 'çirkin' denilebilir durumdaki insanlar açısından, bu soruyu aklımızda kalıcı kılmaktadır: "İyi ama, çirkinlerin suçu ne?"

Bu dünyada hem güzellik, hem akıl, hem de ahlâk bakımından insanlığa en güzel örnek olmuş olan Resûl-i Ekrem aleyhissalâtu vesselamın nedense nazarlardan gizlenmiş, ahiret hayatına dair bir hadisi, bu soruya kalıcı bir cevap sunuyor olsa gerektir. Bu hadisin bildirdiğine göre, Allah bu dünyada onları hangi sûrette yaratmışsa o sûrete razı olan, güzelliğine güvenip yahut çirkinliğine kızıp isyana kalkışmayan, Allah'ın bu dünyada onu yarattığı hal üzere kendi insanî kemalini bulup O'nun kendisini yaratış amacını gerçekleştirmeye çalışan her insanın buyur edileceği cennette bir çarşı vardır. Ama içinde ne alış, ne de satış olan bir çarşı. Bu çarşıda erkek ve kadın sûretleri bulunur. Cennet ehli oraya gider, beğendiği sûreti alır, ve o sûreti giyinmiş olarak cennetteki evine döner.[83]

Bu hadis, bu dünyanın yaratılışındaki 'derecelilik' hikmetine binaen farklı sûretlerde yaratılan, bu derecelilikteki hikmeti kavramakla birlikte kendinden daha güzelleri görüp onların haline için için imrenen, yahut kendisini güzel bulsa da yeterince güzel olmayan başkaları adına üzülen insanlara, müthiş bir duygusal açılım, ferahlık ve derinlik sunmaktadır.

'Sûret çarşısı' hadisinin düşündürdüğü üzere, bu fani dünyada aslolan, ne güzelliğine, ne de yeterince güzel olmayışına kilitlenip kalmaktır. Bu imtihan dünyasında aslolan, özünü güzelleştirip, bizi ve kâinatı yaratan Rabb-ı Rahîm'in hoşnutluğunu kazanmamızı sağlayacak 'güzeleylem'lerde bulunmaktır.

Bu dünyada biz O'ndan razı olup O'nu bizden razı kılabildiğimizde, O içinde 'sûret çarşısı'nın da bulunduğu ebedî cennetlerde bizi ağırlayacak; çok hikmetlere binaen bu dünyada vermediği sûret güzelliğini razı olduğu kullarına orada verecektir.

Ne mutlu güzelliğini nisyana, ya da çirkinliğini isyana gerekçe kılmayanlara!

Ne mutlu bu dünyada sîretini güzel kılıp yaşayışını güzel eyleyerek öte dünyada sûret çarşısının müşterisi olmaya hak kazananlara...

Vesile

HAYATIM BOYU, BİLHASSA DÜŞÜNME ve yazma çabalarım esnasında farkettiğim bir hal vardır. Herkesin kendi hayatında bir benzerini tecrübe ettiğinden emin olduğum bir hal... İnsan birşeyleri farkeder, bir yerleri hedefler, ama eşiktedir. Kapıyı açmayı dener, açamaz. Kapıyı zorlar, başaramaz. Hâl-i âlem, bu zahirî başarısızlıkla, beklemeye ve istemeye devam etmesi gerektiğini söylemektedir. Ama olmaz. Sonra gün gelir, ummadığı bir anda düğümlerin çözülüverdiğini, kapalı kapıların zorlamaksızın açılıverdiğini görür insan.

Bizatihî bu halin, Cenab-ı Hakk'ın kulları üzerindeki rahmet ve şefkatinin manidar bir cilvesi olduğunu düşünürüm. Umduğu bir anda gelen bir rızk—ister mideye giren bir gıda misali bir maddî rızk, ister kalbe gelen bir hakikat misali manevî bir rızk olsun—ihtimaldir ki, insanı olup biteni sebep-sonuç zinciri içinde açıklamaya itebilir. "Ben yaptım oldu" misali, sonucu kendisine mal eden tavırlara insanı düşürebilir. Lâkin, kapıların zorlandığı esnada dahi kapalı kalıp umulmadık bir vakitte açılıvermesi, insana sonucun kendi elinde değil O'nun elinde olduğunu; esbabın değil, Müsebbibü'l-Esbab'ın eşyaya ve olaylara hükmettiğini; kapıları açanın insan değil, Müfettihu'l-Ebvâb olduğunu ders verir.

Elbette, alabilirsek...

Bu uzun girizgâhın nihayetine gelirsek; birkaç aydır, bu durumun bir örneğini yaşıyorum. Nice yılların duası olmakla birlikte, ancak şimdilerde, kendimi hadislerin dünyasına biraz daha yakın hissediyorum. Dün çözülmemiş kalan kimi hadislerin, bugün zihnimde ve kalbimde aks-i sadalarını işitiyorum. Maamafih, bunun, bu hadislerin hemencecik 'yaşanması' anlamına gelmediğini, bu yolda yeni bir dua ve cehd hali kuşanmam gerektiğini de biliyorum.

Resûl-i Ekrem'in (a.s.m.) "Benim için vesile isteyiniz"[84] hadisi, Allah'ın izniyle, düğümünü yakınlarda bir nebze çözdüğüm hadislerden. İmam Şâfiî'nin bu hadise binaen, her kamet ve ezan sonrasında vesile duasını mezhebinin bir esası yaptığını; diğer imamların ve sair selef-i salihînin de Resûl-i Ekrem aleyhissalâtu vesselam için vesile duasını bir hayat düsturu haline getirdiklerini biliyor; hususan Bediüzzaman'dan aldığım dersle nefsimi dizginleyebildiğim ölçüde bu duaya gayret ediyordum gerçi. Ama niye onun için "Allahım! Efendimiz Muhammed (a.s.m.) için vesileyi ver" duasında bulunduğum, iç dünyamda nihaî bir cevaba ulaşmış değildi.

Geçen hafta içinde, evde bir kahvaltı sofrasında Rabbimiz bunun manidar bir sırrını bize ihsas etmiş oldu.

Hz. Peygamber için vesile duası ediyorduk; çünkü bizler Cenab-ı Hakk'ın küllî ve mutlak rububiyetine karşı küllî bir ubudiyet sergilemeyi başarıyor değildik. Halbuki, rububiyet-ubudiyet denklemi içinde, küllî bir rububiyete karşı küllî bir ubudiyet sergilemek boynumuzun borcu, varoluş amacımız, yaratılış sebebi idi. Bu noktadaki her sapma ya da her lâkaytlık, esasen, bizi ilâhî itaba müstahak hale getiren bir durumdu.

Âlemlerin Rabbi'nin küllî rububiyetine karşı hadsiz bir niyet, küllî bir itikad ile küllî bir hamd ve şükürde bulunamayışımıza karşılık, ettiğimiz vesile duasıyla, bu küllî hamd ve şükrü yapan birini tanıdığımızı ifade ediyorduk.

Deyim yerindeyse, Peygamber Efendimiz hakkında ettiğimiz vesile duasıyla, "Yâ Rabbi! Senin küllî rububiyetine karşı küllî bir ubudiyet sergilemeyi başaramadım. Eksiklerim, hatta yanlışlarım oldu. Küllî bir ubudiyeti mümkün kılan kabiliyetlerle beni donattığın halde, bunun hakkını veremedim. Bu kabiliyetleri gereğince kullanamadım. Fakat, insan olarak hepimize verdiğin bu kabiliyetleri gereğince kullanan; sana tam ve küllî bir abd olan insanı tanıyorum. Onu seviyorum ve, hakkıyla başaramasam da, onu örnek alıyorum. Onun hatırına beni affet!" demiş oluyorduk.

Kısacası, vesile duası yapabilmek için:

(1) Rabbimizin küllî ve mutlak rububiyetini;

(2) insanın bu küllî rububiyete karşı küllî bir ubudiyet sergilemesi gerektiğini;

(3) ne var ki, nefis ve şeytana uyarak ve de kabiliyetlerimizi hakkıyla geliştirmeyerek bu vazifeden geri kaldığımızı;

(4) dolayısıyla, esasen cennete lâyık bir hal ile kuşanamadığımızı;

(5) oysa Muhammed-i Arabî aleyhissalâtu vesselamın halis bir kul olarak cennete ve rü'yete hak kazandığını;

(6) bunun farkında olduğumuzu ve o yüzden kendisini rehber ve örnek bildiğimizi ifade etmiş oluyorduk.

Daha doğrusu, ancak bu altı esası farkedince, Hz. Peygamber için vesile duası yapma gereğini anlıyorduk.

Resûl-i Ekrem aleyhissalâtu vesselamın sofraları ailece hayır konuşulan sohbetlere vesile kılma yönündeki tavsiyesini bir derece uygulayabildiğimiz bir sabah kalvaltısında, vesile duasının bir sırrı elhamdülillah açılmış oldu.

Ve bunu sizinle paylaşalım istedik.

Rabbimiz! Efendimiz Muhammed aleyhisselâma vesileyi ver! Ve bizi, vesile sırrından mahrum etme, vesile duasında sebat edenlerden kıl, ve Habibine vereceğin vesileden bizi de nasiplendir!

Faziletin ölçüsü

BİNDÖRTYÜZ YILDAN BERİ Müslümanlar okunan ezan ve kâmetlerin akabinde Resûl-i Ekrem'e salât ve selam ettikten sonra, 'okunan davetin ve kılınacak namazın Rabbi'ne "Seyyidimiz Muhammed'e vesileyi, fazileti... ver! Onu va'dettiğin makam-ı Mahmud'a eriştir!"[85] diye niyaz ve dua ederler.

Peki, ezanın ardından gelen bu dua, ilk kez kiminle başlamıştır? İlk kez kim bu duayı etmiş de, ardından umum ümmet buna dahil olmuştur?

Bu sorunun izi sürüldüğünde, ümmetin bindörtyüz yıldır ettiği bu duanın doğrudan Resûl-i Ekrem'in talimine dayandığı; "Benim için vesileyi isteyiniz" buyuran Hz. Peygamber'in bunun ne şekilde ve hangi ifadelerle yapılacağını da bizzat gösterdiği görülür.

Bu duanın 'vesile' kısmına bir önceki yazıda değindik. Bu yazıyı hatırda tutarsak, oradaki ana fikri 'fazilet'e de rahatlıkla uygulayabiliriz:

Nasıl ki, Resûl-i Ekrem için vesile duası edilmesine ihtiyacı olan, bizatihî Resûl-i Ekrem değil, ümmetidir; aynı şekilde, onun için fazilet duası etmeye muhtaç olan da onun ümmetidir.

Çünkü bu dua ile insan Resûl-i Ekrem aleyhissalâtu vesselama olan biatını tazelemekte; meselâ onun için vesile istemekle, onun risaletine ve ubudiyetine tâbi ve teslim olmaksızın Allah'ın rızasına ulaşmanın kâbil olmadığını ikrar etmektedir. Allah'ın rızasına erişmenin, O'nun Resûlüne (a.s.m.) ittiba ile mümkün olduğunu teyid etmektedir.

Aynı şekilde, Rabbimizden 'Seyyidimiz Muhammed' için 'fazilet'i istemek de esasen bizim ihtiyacımızdır. Bu dua ile, insan faziletin ölçüsü olarak onu gördüğünü; onun getirdiği nur ve yaşadığı hayatı dışlayan bir fazilet ölçüsü edinmediğini ve edinmeyeceğini ifade etmektedir.

Bu, önemlidir. Zira, Rabb-ı Rahîm bütün insanların vicdanına bir 'ahlâk' mefhumu ve 'ahlâklı davranış'a tekabül eden bir 'fazilet' özlemi dercetmiştir. Ne var ki, nefsine tâbi olduğu için Rabbini tanımaktan geri duran, lâkin fıtratlarına dercedilmiş 'ahlâk' ve 'fazilet' realitesini de reddedemeyen kimi insanlar, "Dinsiz maneviyat olabilir," "Dindar olmadan ahlâklı olunabilir" diye düşünmektedir. Resûl-i Ekrem (a.s.m.) için fazilet istemekle insanın ikrar ettiği şey ise, en başta, sözkonusu düşüncenin fiiliyata geçmesinin imkânsızlığıdır: Fazilet, ancak O'nu ve de Resûlünü tanımakla tamam olur. Aksi takdirde, vicdan fazileti de istese, fiiliyatta bunun imkânı yoktur.

İşin bu kısmını aşmış bulunan birçok insan ise, Allah'ı ve Resûlünü tanımakla birlikte, onun dışında fazilet ölçüleri icad etmektedir. Ki, ehl-i dini özellikle ilgilendiren, onu en ziyade vartaya düşüren de işin bu noktasıdır. İnsanın karşısında, bu noktada çift yönlü bir sapma riski belirmektedir.

Bunlardan ilki, bizatihî Resûl-i Ekrem (a.s.m.) zamanında örnekleri yaşanan bir risktir. Bazı sahabiler, eşlerinden uzak durmaya, kendilerini yeme-içmeden kesmeye, mağaralarda uzlet ve inziva içinde ibadetle ömürlerini geçirmeye karar vermiş; ve bunu, böylesinin daha faziletli, rıza-yı ilâhîye daha uygun olduğunu düşünerek yapmışlardır. Resûl-i Ekrem'i 'en güzel örnek' olarak tarif eden âyeti kendilerine hatırlatan Hz. Peygamber'in (a.s.m.) "Benim sünnetimi beğenmeyen, benden değildir"[86] ikazıyla da, bu sapma riskinden dönmüşlerdir.

Ne ki, bu risk, özellikle bâtınî vurgular taşıyan hareketlerde hep bâki kalmış; kimileri ne yazık ki Resûl-i Ekrem'in sünnetini eksik gören bir fazilet anlayışıyla sapmışlardır. Bu gayrifıtrî fazilet anlayışının getirdiği geri-tepmeler de cabasıdır.

Aksi yöndeki sapma ise, Resûl-i Ekrem'in sunduğu fazilet örneğini fazla dar bularak esnetmeye çalışma şeklinde gerçekleşmiştir. Emevîlerden bugüne, özellikle sair coğrafya ve kültürlerden miras alınan âdâb-ı muaşeret, saray âdâbı ve benzeri hususlarda, sapmanın bu yönüne dair örnekler görmek mümkündür. Nitekim, meselâ Osmanlı âdâbında İslâmî yönler kadar, sorgulanmayı hak eden böylesi taraflar vardır; ve bugün Osmanlıya hayran olan, ama meselâ namaza yahut tesettüre kalbi kapalı birilerinin mevcudiyeti bununla alâkalıdır.

Keza, modern hayatın sunduğu fazilet anlayışı, sünnet-i seniyye ile çakışmak şöyle dursun, çoğunlukla çatışmaktadır. Sünnetin sağ eli kullanın dediği çok şey için modern görgü kuralları solu kullanın der meselâ. Sünnet karşısında yaşanan böylesi temerrüdler, faziletin ölçüsü olarak Peygamber'i bilmenin kritik önemini gündüz gibi ortaya koymaktadır.

Oysa, fazilet duasının da ifade ve ihsas ettiği üzere, faziletin ölçüsü Hz. Peygamber'dir. Başka bütün fazilet tarifleri bu mehenge vurulmalı ve ona göre red veya kabul olunmalıdır.

Ruhsat-azimet dengesi

BİR DENGE DİNİ OLARAK İSLÂM'IN hayatlarımızı denge çizgisinde tutmamızı sağlayan ölçülerinden biri, ruhsat ve azimetle ilgilidir. Azimet bir konuda Allah'ın rızasına en uygun hareketi ifade ederken, ruhsat o konuda Allah'ın koyduğu nihaî sınırı ifade eder. Ruhsat bir sınır çizgisi gibidir; onun da ötesine geçildiğinde helâl dairesi dışına çıkılmış olur.

Bu bakımdan, azimetin tercih listemizde baş sırayı alması gerektiği apaçık ortadadır. Ruhsat ise, en azından sınıfı geçmemizi sağlayacak bir çaba içerisinde olduğumuzu gösterir.

Bir diğer açıdan ise, ruhsat Allah'ın kulları üzerindeki rahmet ve merhametinin bir nişanesidir. Rabb-ı Rahîm, rızasına en uygun olanı bildirmekle kalmamış; insan olarak zaaflarla mâlul biz kullarına nihaî sınırı bildirmekle, hayır ve helâl dairesini bir patika olarak değil, bir 'cadde-i kübra' olarak önümüze koymuştur. Bu şekilde, amel-i salih yolu, yalnızca çok özel insanların değil, hevasına yenik düşmemiş her insanın yürüyebileceği bir genişlikle insanlığa sunulmuştur.

Kullarının durumunu bilen Rabb-ı Rahîm'in rahmetinin bir göstergesi olarak ruhsat, diğer taraftan, bazı özel durumlarda azimetten bile daha azimetli bir hal alabilir. Hz. Peygamberin Ramazan ayı içerisinde gerçekleşen bir gazve dönüşünde söyledikleri, bunun bir göstergesidir. Ramazan ayında oruç tutmayı mü'minlere farz kılan âyet, hastalık ve yolculuk halini bir istisna olarak tanımlamakta; bu durumda olanların oruç tutmamasına ruhsat tanımaktadır—elbette, daha sonra kaza etmek şartıyla. Bununla birlikte, ilgili gazveye katılan sahabilerin büyük kısmı, azimet yolunu tutmuş ve yolculuk halinde dahi Ramazan orucunu tutmayı tercih etmişlerdir. Lâkin yer Arabistan, mevsim ise yazdır. Yol şartlarının zorluğu ile yazın sıcağının ve oruçluluğun getirdiği susuzluk birleşince, mola verildiğinde oruçlular namaz için abdest almalarını sağlayacak bir enerjiyi bile kendilerinde bulamamışlardır. Bu durumda onların imdadına yetişen, Allah'ın yolculuk hali için verdiği ruhsatı uygulayıp, yolculuk halinde orucunu Ramazan sonrasına erteleyenlerdir. Onlar, mola verilen yerde abdest almaları ve serinlemeleri için oruçlulara su taşıdıkları gibi, onların develerinin bakımını da üstlenmişlerdir. Sonuç, kendisi de oruçlu olan kudsî nebîye, "Bugün sevabı oruçsuzlar kazandı" gibi zarif bir sözü söyleten bir keyfiyettir.[87]

O kudsî nebî, başka bir hadisinde de, ruhsatları kastederek, "Allah, verdiği nimetin eserini kulunun üzerinde görmekten hoşnut olur"[88] buyurmuştur. Bu halin Allah'ın hoşnutluğuna vesile olması ise, kulların bu ruhsatlar vesilesiyle yaşadığı bir ruh haliyle irtibatlı olsa gerektir.

Rabb-ı Rahîm, yalnızca oruç için değil, namaz ve sair ibadetler için de yolculuk veya hastalık gibi meşakkat hallerinde istisnalar gözetmiş; haramlar ile helâlleri tayin ederken de, bazı ruhsatlar tanımıştır. Peki, Allah bu ruhsatları tanımamış olsa ve sözkonusu şartlarda zorlandığımız halde sırf mecburiyetten bir ameli işliyor olsak mı daha iyi olurdu; yoksa bu durumlar için Allah'ın tanıdığı ruhsatları uygulayıp, O'nun biz kulları üzerindeki rahmetini, ihsanını ve şefkatini hissedip zevketmek mi?

Kendi namıma, ruhsatla azimet arası bir tercihle yüzyüze kalmışsam ve de azimeti tercihte zorlanıyorsam ruhsatı tercih ediyor ve bu arada ilgili hadisi düşünüyorum. Bu hadisi hatırda tutarak uyduğum her ruhsat, bana Rabb-ı Rahîm'in tabir caizse ne kadar da halden anlayan, ne kadar da kullarının halini bilen ve onlara şefkatle muamele eden bir Rab olduğunu düşündürüyor.

Bu düşünceler eşliğinde şunu soruyorum kendime: Böyle bir Rabb'e ibadet edilmez de ne edilir ki?

Nafile

ÖYLE KELİMELER VAR Kİ, ZAMANLA aslî anlamlarından kopuk, hatta zıt bir biçimde anlaşılmaya başlanmış bulunuyor. Meselâ, her işin ancak Allah'ın izin ve rızasıyla olduğunu bildiren 'inşaallah,' bugün atlatma ifadesi olarak anlaşılıyor. Nitekim, insan, 'inşaallah' dediği birçok durumda, "İnşallahla, maşallahla olmaz" gibi tehlikeli mukabelelerle karşılaşıyor. Öte yandan, 'yaratılmış olan' anlamına gelen, bu itibarla Allah'tan gayrı herşeyi ifade eden 'mahluk' kelimesi, bugün çoklarınca yalnız hayvanlara mahsus kılınıyor; ve ona insanın mahluk olduğundan söz edildiğinde, o bunu bir hakaret olarak algılıyor.

Böylesi kritik anlam kaymalarından bir kısmına, hadis ve fıkıh ıstılahında rastlamamız mümkün. Meselâ, hadis 'rivayetleri'nden söz ediliyor; ama şu toplumda çokları 'rivayet'i 'doğru olup olmadığı şüpheli söylenti' diye hafızasına kaydetmiş bulunuyor. Böyle bir dimağ, hadis rivayetlerinden söz edildiğinde, daha baştan, kendi rivayet tarifinin esiri olarak bu 'rivayet'leri ciddiye almamakla işe başlıyor. Hele "Bu hadiste tevatür var" deyin; onun bu yanlış anlaması katmerleniyor. Zira, tevatür, hakikat-ı halde bir hadisin ayrı ayrı birçok güvenilir kanaldan geldiğini; dolayısıyla onun Resûlullah'a (a.s.m.) ait bir söz olduğunun kesin olduğunu ifade ettiği halde, bugünün birçok insanının dilinde tevatür tam aksine 'ortada dolaşan söylenti' diye kodlanmış bulunuyor.

Benzer bir durum, 'sahih' hadis ile ilgili. Sahih hadis, birden fazla güvenilir kanalla rivayet edilen isnad zinciri sağlam hadisi ifade ettiği halde; sahih hadis ifadesi öyle anlaşılıyor ki, bir hadis için sahih değil denildiğinde, zihinlerde hemencecik "Yani, uydurma" kaydı düşülüyor. Oysa, meselâ tek bir güvenilir kanaldan gelen birçok hadis rivayeti, 'sahih' hadis sınıfında yer almıyor olduğu durumda dahi kesinlikle 'mevzu' veya 'uydurma' hadisler sınıfında da bulunmuyor. Bilakis, böylesi hadisler, 'âhad' ve 'hasen' hadisler olarak mü'minin hayatına yön veren birer nebevî haber değerini hâlâ taşıyorlar.

Diğer bir deyişle, 'sahih' terimi, hadis ıstılahında, 'uydurma'nın zıddı değil. Dolayısıyla, bir hadis için 'sahih değil' deniliyorsa, bunun anlamı, 'o hadisin uydurma olduğu' değil. Ne var ki, zihinlerdeki bu yanlış kodlamalar, hadis düşmanı kimilerince, kendi çizgileri lehinde alabildiğine kullanılıyor.

Bir diğer kavrayış problemi ise, 'nafile' ile ilgili. Nafile, fıkıhta, Resûl-i Ekrem'in sünnetinin 'farz' ve 'vacip' olmayan kısmını ifade ediyor. Ama, nafilenin bugünkü Türkçe'ye yerleşmiş karşılığı, ne yazık ki, şu: 'boş yere yapılan iş,' 'faydasız çaba.' Durum bu olunca, nefislerin gemini koparan birileri bir sünnet-i seniyye için "O farz değil, nafile" dediğinde, kimi kalblerde ve dimağlarda hemencecik ilgili sünneti terk gibi bir niyet veya düşünce belirebiliyor. Zira, "Farz değil, nafile" demek, farkında olunsun veya olunmasın, zihinlerde, "Onu yapmak gereksiz. Boşuna yapmış olursunuz" gibi bir anlamı çağrıştırıyor.

Oysa bir kudsî hadis, sünnetin 'nafile' kısmını ya kötü niyetle, ya kavramı yanlış ve eksik anlama sonucu 'gereksiz' görenler için, yeterli uyarılar taşıyor. Buhârî, Rikak 38'de kayıtlı bu hadis-i kudsîde, "Kulum, üzerine *farz* kıldığım şeylerden daha iyi bir yolla Bana yaklaşamaz" buyuruyor Rabb-ı Rahîm. Ardından, sıra 'nafile'ye geliyor. Öyle ki, nafile, kulun Allah'ı hakkıyla sevdiğinin ve dolayısıyla Allah'ın sevgisini kazanmasının bir lâzımı olarak tezahür ediyor: "Kulum *nafile*lerle de Bana yaklaşmaya devam eder; nihayet, Ben onu severim. Onu sevince de onun işiten kulağı, gören gözü, tutan eli ve yürüyen ayağı olurum. Benden birşey isterse veririm, Bana sığınırsa onu korurum..."[89]

Nafile terimi, zaman içinde her nasılsa uğradığı anlam bozukluğundan kurtarılıp bu kudsî hadiste net bir şekilde ifadesini bulan aslî yerine oturtulsa, bugün en azından selîm kalblilerin yaşadığı bir dizi kafa karışıklığının çözüleceğini düşünüyorum. Sünnetin farz olmayan nafile kısmının, 'Allah'a yaklaşma'nın ve 'O'nun sevgisine ulaşma'nın bir lâzımı olması; Kur'ân'ın Resûlullah'a itaati, onu 'en güzel örnek' bilmeyi, onun önüne geçmemeyi, ona tâbi olmayı emreden bir dizi âyetiyle de tam bir mutabakat arzediyor.

Kısacası, nafile hadisinden sünnet-i seniyyenin nafile kısmını çiğneyerek O'nun muhabbet ve rızasına kavuşmanın mümkün olmadığı anlaşılıyor. Bu hadisin öğrettiği üzere, âlemler Rabbinin kendisinin 'işiten kulağı, gören gözü, tutan eli ve yürüyen ayağı' olmasını isteyen kişinin, elinden geldiği kadarıyla bilfiil, gelmediği durumda ise binniyet sünnet-i seniyyenin izini sürerek, Habibinin sünnetine olan fiilî veya kalbî itaatini O'nun dergâhında bir şefaatçi kılması gerekiyor.

Öte yandan, nafileyi hadisteki aslî anlamıyla kavrayınca, nefsinin ve iltifat gördüğü çevrelerin yapıp ettikleri uğruna Resûl-i Ekrem'in (a.s.m.) sünnet-i seniyyesini nazarlarda değersizleştirmek isteyenlerin, kelimenin Türkçe anlamıyla, ne kadar 'nafile' bir işle iştigal ettiği ayan beyan anlaşılıyor.

Dünyanın üç yüzü

RİSALE-İ NUR MÜELLİFİ Bediüzzaman Said Nursî, Risale'ye giden yolun köşetaşlarından biri olan *Muhakemat* adlı eserinde, hepsi birbiriyle irtibatlı bir dizi unsur arasında, 'hadis okumaları'na dair bir ölçü de verir. Onun belirttiğine göre, kişi bir hadisi değerlendirirken şu üç önermeyi gözönüne almalıdır:

(i) Bu söz Peygamberin sözüdür.

(ii) Bu Peygamber sözünden murad olunan mânâ haktır ve doğrudur.

(iii) Bu Peygamber sözünden murad olunan mânâ şudur.

İlgili bahiste dikkat çekildiği üzere, bu üç önermenin ilki, hadis ve usul-i hadis ilminin konusudur. Ki ulema, bir sözün Peygamber sözü olup olmadığını tesbit noktasında gerek söz, gerek raviler açısından son derece hassas ve ince kriterler geliştirmiş; ve hadis rivayetlerini buna göre bir tasnifata tâbi tutmuşlardır.

İkinci önerme, Peygamber'den sâdır olmuş bir sözü hak ve doğru bilmeyi iktiza eder. Bu önermenin dayandığı temel ise, onun peygamberliğinin delili olan mucizeleri; bu arada, 'en büyük mucize' olarak, onun 'kendinden' ve 'boş' konuşmadığını bildiren Kur'ân'dır.

Üçüncü önermeye gelince; burada 'içtihad' devreye girer. Dolayısıyla, 'hak ve doğru' olan 'Peygamber sözü'nün ne anlama geldiği, muradın ne olduğu konusunda farklı görüşler ortaya çıkar.

İlgili bahiste Bediüzzaman'ın belirttiğine göre, birinci önermeye uygun davranmayıp bir Peygamber sözünün onun sözü olduğunu reddeden kişi—tıpkı ona ait olmayan bir sözü ona izafe eden kişi gibi—'yalancı' durumuna düşer. Bir sözü 'Peygamber sözü' olarak kabul ettiği halde mânâ itibarıyla onu yanlış ve asılsız olarak değerlendiren kişi ise, dalâlete ve zulmete düşer. Her daim 'hak' söyleyen Peygamber'in ilgili 'sözü'ne insanlarca verilen bir anlamı eksik veya yanlış bulan kişi ise ne yalancıdır, ne de sapkın...

Bu yaklaşım, hadis okumaları için hem bir dikkat gerektirir, hem de bir genişlik sunar. Genişlik sunar; çünkü, bizi bir hadise evvelce verilen belli bir anlamla sınırlamaz. Dikkat gerektirir; çünkü, hadise verilen, bizce eksik yahut yanlış bir anlamı eleştireyim derken, bir Peygamber sözüne ve Peygamber'in söylediği her sözün hakkâniyetine ilişme riskini hatırlatır.

Ve ne yazık ki, bazı hadisler açısından, bu risk 'mümkün' olmakla kalmayıp 'vâki' olmuş durumdadır.

Özellikle şu zamanda, bazı hadislere dair 'yanlış yorum'lardan hareketle hadisin lâfzına ilişildiği; ilgili sözün hadis olup olmadığının sorgulandığı; öyle ki, hadis âlimlerinin ortaya koyduğu son derece hassas ve ince elekten geçebilmiş kimi hadislere dahi 'hadis değil' muamelesi yapıldığı görülmektedir.

Dünyevîleşmeci zihniyetin ve bu zihniyete yenik düşen bir kısım ehl-i dinin maalesef 'su-i tefsir' ile suiistimal ettiği meşhur bir hadis, bunun apaçık bir örneğidir. "Hiç ölmeyecekmiş gibi dünya, yarın ölecekmiş gibi ahiret için çalışın" şeklinde hâfızalara yerleşmiş olan hadistir bu.

Gerçi, hadisin asıl metninde 'dünya' ve 'ahiret' kelimeleri geçmemektedir. Ancak, "Hiç ölmeyecekmiş gibi [dünyan için] çalış, yarın ölecekmiş gibi [ahiretin için] tedbirli ol"[90] şeklinde bir hadis gerçekten vardır; ve yorum olarak bu hadise parantez içinde 'dünyan için' ve 'ahiretin için' ibarelerinin konmasına imkân verecek ikinci bir hadis de bulunmaktadır: "En hayırlınız, dünyası için ahiretini, ahireti için de dünyasını terketmeyen ve insanlara yük olmayanınızdır."[91]

Dahası, şu gibi hadisler de bu minvalde hatırlanmalıdır: "Hiç kimse elinin emeğinden daha hayırlı bir taamı asla yememiştir. Allah'ın peygamberi Dâvud aleyhisselâm elinin emeğini yerdi."[92] "Muhakkak ki, yediğinizin en temizi kendi kesbinizden olandır."[93]

Bu çerçevede bakıldığında, ilgili hadisin dünya-ahiret dengesini kurduğunu; ne başkasının emeğine yaslanan bir sözde 'müttaki'liğe, ne de 'elinin emeğini yeme' gayretinin bir dünyevîliğin âleti edilmesine müsaade etmediği açıkça görülür. Ancak, hadisin ikinci kısmını unutup yalnız birinci kısmını hayata yansıtarak ilgili hadisi kendi dünyevîliklerine âlet edenlere karşı kimi ehl-i dinin tepkisi, bu suiistimale karşı çıkmak yerine, hadise karşı çıkmak şeklindedir.

Halbuki, yine hadislerden, ve onlardan da önce, Kur'ân'dan öğrendiğimize göre, dünya hayatının üç ayrı veçhesi vardır. Evet, dünya fanidir, kalıcı değildir, onu kalıcı görerek yatırım yapanlar uçurum kenarına bina kuranlara benzerler. Ama aynı dünya, mü'min için, esma ve sıfatlarının tecelliyatıyla Rabbini tanıdığı bir sergi yeri, ve 'ahiretin tarlası'dır. İlk yüzü itibarıyla fani olan ve bizi fenada boğduran dünya, diğer iki yüzüyle bizi beka âlemine ve esma-i hüsnanın bâki cilvelerine muhatap etmektedir.

İlgili hadis de, dünyaya bu 'üç yüz'ü ile birlikte bakıldığında, hiç de dünyevîlere mesned olmayacak—ve o dünyevîler yüzünden inkârına yeltenilmeyecek—bir anlam ve derinlik kazanmaktadır.

Şimdi, hadisi bu 'üç yüz' açısından anlamaya çalışalım:

(1) "Hiç ölmeyecekmiş gibi [dünyan için] çalış..."

Hadisin bu kısmı, dünyevîlerin zannettiği gibi, 'dünyanın fani yüzü' için söylenmiş olabilir mi?

Hayır.

Öyle olsa, Hz. Peygamber "Şu dünyada bir yolcu ve bir misafir gibi ol!"[94] der miydi? O takdirde neden "Ben bu dünyayı ne yapayım? Ben ve bu dünya, yolcu ve altında gölgelediği ağaç misaliyiz"[95] buyursun ki?

Burada kastedilen, dünyanın fani yüzü değildir; esma-i hüsnaya ve ahirete bakan yüzüdür. Bâki-i Zülcemal'in sermedî isimlerine ve o isimlerin perdesiz ve daimî tecellî yeri olan âhiret âlemlerine bakan yüzüdür. Ki bu yüzde ölüm zaten yoktur. Fena ve zeval de yoktur. İnsanın dünyanın bu yüzüne muhatap iken, 'hiç ölmeyecekmiş' gibi gayret edip çalışması doğrudur ve normaldir.

Dünyaya ahiret bilincinden ve esma-i hüsna nazarından uzak biçimde muhatap olduğunda ise, insanın hatırlaması gereken bir husus vardır: dünyanın faniliği, yani ölüm ve zeval. Esma-i hüsnaya bakan ve 'ahiretin tarlası' olan yüzünde 'hiç ölmeyecekmiş' gibi gayret göstereceğimiz dünya fena ve fani yüzüyle bakışımızı kaydırıp yolumuzdan saptırdığında hatıra getirmemiz gereken şey, ölümdür. 'Yarın ölecekmiş gibi' ahiretini, Hesap Gününü, Mahkeme-i Kübra'yı, cenneti ve cehennemi düşünmektir. Tâ ki, bu dünyada bir yolcu olduğumuzu, beka yerinin burası olmadığını derkedelim ve fani yüzü ve fani lezzetleri itibarıyla dünyayı terkedelim. Tâ ki, 'hiç ölmeyeceğimiz' ahiret hesabına ve O'nun güzel isimleri namına yaşamayı becerelim.

Açıkçası, sözkonusu hadis, ne hadis olarak birilerinin zannettiği gibi bizi dünyaya sevkediyor; ne de, bu yoruma tepkili başka birilerinin zannettiği gibi, böyle bir anlamı gerçekten taşıdığı için 'hadis değil' diye reddedilmeyi hakediyor.

Bilakis, bu Peygamber sözü de bizi bir dengeye davet ediyor. Dünya-ahiret dengesine...

Ek

Peygamber sözleri nasıl okunmalı?

Hz. İsa laik miydi?

İSLÂM İLE HIRİSTİYANLIK ARASINDA, çağlar boyu çok ciddi gerilimler yaşandığı bir vâkıadır. Bu durumun, anlaşılması hiç de zor olmayan birçok sebebi mevcuttur. Bu sebeplerin en önemlisini ise, herhalde, Hıristiyanların İslâm'ı kendileri için yeni ve çok ciddi bir meydan okuma olarak algılaması oluşturur.

Oysa, İslâm'ın Hıristiyanlara yönelik hitabı, elbette bir tâdil, ama şefkat ve insaf yüklü bir tâdil barındırır. Kur'ân, Hıristiyanları 'ehl-i kitab' olarak tanımlar ve sair gayrimüslimlerden ayırır. Tüm gayrimüslimler arasında, Müslümanlara karşı kalbi en açık, 'sevgice en yakın' olanları Hıristiyanlar arasında bulacağımızı söyler. Hıristiyanlarla aramızdaki 'ortak kelime'den söz eder ve onları bu 'ortak kelime'ye çağırmamızı ister. Bu ortak kelime, saf tevhid hakikatidir: "Allah'tan gayrı, bazımız bazımızı rab edinmesin. Sizin de ilahınız, bizim de ilahımız birdir. Ve biz O'na teslim olmuşuz." Kur'ân, ayrıca, mabedlerinde geceleri namaz kılan ve Allah'ı anan inanmışlardan da söz eder.

Diğer taraftan, Hz. İsa'nın çok mucizelere mazhar bir resûl olarak, havarilerinin Rablerine hakkıyla râm olan insanlar olarak, Hz. Meryem'in bir iffet ve ubudiyet timsali olarak Kur'ân'da ne denli sena edildiği açıkça ortadadır. Öyle ki, Hz. İsa'ya (a.s.) bir resûl olarak inanmak, İslâm'a göre, imanın ayrılmaz bir parçasıdır. Hz. Yahya ve Zekeriya (a.s.) için de durum budur. Sair Benî İsrail peygamberleri de, Hz. İsa gibi, bir 'İslâm peygamberi'dir.

Gerçi Hıristiyanlar, yine Kur'ân'ın beyanıyla, determinist bir zihniyetin tezahürü olarak, Hz. İsa'nın babasız dünyaya gelişini anlayamayıp onu 'Tanrı'nın oğlu' olarak görme; tevhidden teslise düşme; hakikat yolunda Allah'ın helâl kıldıklarını da kendilerine haram eden ruhbanlık gibi bir usul edinme; Hz. İsa'ya gelen vahyi saf haliyle muhafaza edememe gibi hallere duçar olmuşlardır. Ama bu din, böylesi tahriflere rağmen, yine de Hz. İsa'dan miras kalan birçok hakikati barındırmaktadır. Allah'ın varlığı, nübüvvet, ilâhî emir ve yasaklar, ubudiyet, Allah sevgisi, Allah'ı tanıma, adalet, merhamet... gibi bir dizi hakikat, halihazır Hıristiyanlıkta dahi mündemiçtir.

Bu bakımdan, Kur'ân, Hıristiyanlara "Dininizi tamamen bırakın" demez. Bir Kur'ân talebesinin belirttiği üzere, Kur'ân'ın Hıristiyanlara—ve de Yahudilere—yaklaşımı, şu şekilde özetlenebilir: "Ey ehl-i kitab! İslâmiyeti kabul etmekte size bir meşakkat yoktur. Size ağır gelmesin. Zira, size bütün bütün dininizi terketmenizi emretmiyor. Ancak, itikadatınızı ikmal ve yanınızda bulunan esasat-ı diniye üzerine bina ediniz, diye teklifte bulunuyor."

Nitekim, Kur'ân meselâ Hz. İsa'yı bir resûl olarak birçok sûrede sena etmekte; ama ona duydukları sevgide ifrata düşüp onu tanrılaştıranları tevhide davet etmektedir. Keza, ruhbanlığı yorumlarken, bu yolun Allah'ın rızasına erişme düşüncesiyle ihdas edildiğini ama deyim yerindeyse 'yürümediği'ni, zira Allah'ın helâl kıldığını kendine haram kılma gibi fıtrata ters düşen bir 'tefrit'i barındırdığını belirtmektedir.

Kur'ân'ın Hıristiyanlığa yönelik yaklaşımı, 'meydan okuyucu' olmaktan ziyade, 'tadil edici ve tamamlayıcı' bir mahiyet arzeder açıkçası. Hıristiyanlara yaklaşımı da, şefkat ve terbiye yüklüdür.

Durum bu olunca, Resûl-i Ekrem (a.s.m.) zamanında Müslümanlar meselâ ateşperest Sâsânîler karşısında kitab ehli Bizans'ın galibiyetini arzulama gibi incelikli tavırlar göstermişlerdir. Resûlullah'ın Necran Hıristiyanlarına gösterdiği yumuşak mukabele, hatta kendisini ziyarete gelen Necran heyetinin ibadetlerini Mescid-i Nebevîde yapmalarına müsaade edişi de anlamlıdır. Diğer taraftan, Resûl-i Ekrem aleyhissalâtu vesselamın Bizans'a gönderdiği elçi Dıhye el-Kelbî (r.a.), "İsa Mesih'in namaz kıldığını biliyor musun?" sorusu ve "Evet" cevabıyla başlayan bir diyalog içinde, İmparator Herakliyus'u şu sözlerle 'aramızdaki ortak kelime'ye çağırmıştır: "Seni, [İsa] Mesih'in kendisine namaz kıldığı Zâta, yerin ve göklerin, annesinin karnında Mesih'in yaratılışını düzenleyene çağırıyorum. Musa'nın ve ondan sonra da Meryem oğlu İsa'nın müjdelediği ümmî nebîye çağırıyorum." Bu sözlerle gelişen diyalog, 'ortak kelime'ye davetin en sıcak ve en beliğ örneklerinden biridir.

Ne var ki, İslâm davetinin tebliğine izin vermeyen beldeler, 'dârü'l-harb' olarak maddî cihadı gerektiren beldeler olacak; bu arada Hıristiyanların hâkimiyetindeki Asya, Afrika ve Avrupa topraklarında sıcak savaşlar yaşanacaktır. Öte yandan, Hıristiyan dünya da, sözümona 'sapkınlar'ın eline düşen beldeleri kurtarmak üzere kılıca sarılacak; ikiyüz yıl süren Haçlı seferleri, Endülüs'te yaşanan Reconquista, ve Batı sömürgeciliğinin ilk adresinin İslâm toprakları oluşu... bu çerçevede dikkate değer olaylar olarak tarih sahnesine yazılacaktır.

Hıristiyanlar ile böyle bir mazisi olan Müslümanların, Hz. İsa'ya, Hz. Meryem'e, havarilere, sûre-i Yâsîn'de meseli zikredilen 'şehrin öte yakasından koşup gelen adam'a, ashâb-ı Kehf'e,

Hz. Zekeriya ve Yahya'ya ve sair Benî İsrail peygamberlerine bakışlarının rotasını ise Kur'ân netlikle çizer. Onların her biri, 'müslim'dirler ve tüm insanlık için iman ve ubudiyet timsalidirler. Hz. Musa'ya gelen de, Hz. İsa'ya gelen de haktır. Dolayısıyla, gerçek Musevîler de, gerçek İsevîler de müslimdirler. Ne var ki, Hz. Musa'ya gelen vahiy, sonraki dönemlerde nefis-eksenli bir tahrife uğratılmış; bu arada hem bir 'kavim dini'ne dönüşmüş, hem de ilâhî şeriat cemâl ve sevgiden mahrum bir kanunlar manzumesine dönüştürülmüştür. İlk elde Yahudiler içinde nübüvvet görevini yüklenen Hz. İsa'nın, bu 'içi boşaltılmış şeriat'ı asıl sâfiyetine çevirmek üzere 'sevgi' ve 'cemal' boyutunu tahkim ve takviye ediyor olduğu görülür. Hiçbir ilâhî hüküm, ruhsuz beşerî kanunlara benzemez; madem ki Allah Celîl-i Zülcemâl'dir, celâl içinde bir cemal barındırır. Dolayısıyla, ilâhî hükümlerin içerdiği cemal ve sevgiden, marifet ve muhabbet-i ilâhî boyutundan mahrum bırakıldığı bir ortamın peygamberi olarak Hz. İsa (a.s.), elbette sevgi üzerinde duracaktır. Bu, gerçek İsevîliğin 'şeriatsız'lığına delâlet etmez; zira, Hz. İsa'nın nübüvveti hengâmında Hz. Musa'ya gelen şeriat—bazı tahrifatla birlikte—yine hükümfermaydı, nitekim Hz. İsa da bu şeriatla hükmetti. Ama, 'içi boşaltılmış,' 'sevgiden arındırılmış,' 'ruhsuz ve rahmetsiz kanun hükümleri'ne dönüştürülmüş bu şeriatın içini doldurarak, sevgi boyutunu iade ederek, ruhunu ona yeniden tevdi ederek...

Ne var ki, Hz. İsa'nın bu taliminin zamanla bir 'tefrit'e konu edildiği gözlenecektir. Nasıl Pontius Pilatus'un ellerindeki Yahudilik bir peygamberin katledilmesi teşebbüsüne dahi imkân vermişse, Aziz Pavlus'un elindeki Hıristiyanlık da dünyevî Roma İmparatorluğu'yla uzlaşan 'ruhanî bir iktidar'a imkân vermektedir artık. Kur'ân'ın öğrettiğine göre, Hz. İsa'ya gelen vahiy haktır, ona iman etmek her mü'minin boynuna borçtur; ama saf İsevîlik, zamanla 'cismanî'yi Roma'ya, 'ruhanî'yi Kilise'ye tevdi eden bir 'ruhbanlık'a inkılab edecektir. İncil'i 'İnciller'e dönüştüren tahrifatın özü, birçok araştırmacıya göre, bu noktada düğümlenir. Yahudilerin zamanla düştüğü 'cemalsiz bir celâl' ifratına karşı, bu kez de 'celâlsiz bir cemal' tefritine düşülmüş; 'ruhsuz şeriat' aşırılığının yerini 'şeriatsız ruh' aşırılığı almıştır. Öte yandan, 'çocuk' sonucunu 'ana ve baba' sebebine vererek Hz. Meryem gibi bir iffet timsalini iffetsizlikle suçlayan Yahudiler de; hâşâ, Hz. İsa'nın 'baba'sı olarak Allah'ı düşünen Hıristiyanlar da aslında aynı yanılgının, 'esbâb şirki'nin kurbanıdırlar.

Kur'ân bu yanılgıları aşma davetinde bulunur ve ehl-i kitabı 'bazımızın bazımızı rab edinmediği' bir 'ortak kelime'ye çağırırken, gerek Hz. Musa'nın, gerek Hz. İsa'nın, gerek tüm Benî İsrail peygamberlerinin bir 'peygamber' olarak hakkını kesinlikle teslim eder. Bu arada 'ehl-i kitab' olarak Hıristiyanları, herşeye rağmen, dinsiz ve putperest gayrimüslimlerden ayırır. Birarada yaşama ve evlilikten yeme içmeye, alım satıma kadar uzanan birçok konuda Hıristiyanlar için sair gayrimüslimlerden farklı ve daha müsaadekâr hükümlerin nazil oluşu bunun bariz bir örneğidir.

Bir müslüman, Hıristiyan akidesine bakışını, beklendiği üzere, Kur'ân ve hadis ekseninde belirler. Hz. İsa'ya vahyolunan saf İncil'e iman etmekle yükümlüdür; mevcut İncil'lere ise Kur'ân ve hadisin adesesiyle bakar. Meselâ, şanlı bir nebî olarak İsa aleyhisselâma iman etme ve sevgi ve hürmet duyma yükümlülüğü duyar; ama onun 'Tanrı'nın oğlu' olduğuna iman etmeme yükümlülüğü de vardır. Hıristiyan akidesine, kendi inanç temelleri itibarıyla yaklaşmaya, elbette hakkı vardır.

Fakat bu hengâmda kaş yapayım derken göz çıkarma olayları da vâki olmaktadır. Kur'ân'ın Hıristiyanlık karşısındaki duruşunu hakkıyla anlamamış; ama bir 'Haçlı' birikimi hâfızasının baş köşesinde yer tutmuş birçok kişi, bu noktada istikamet çizgisini aşan ve muhtemelen birçok Hıristiyanın kalbinin İslâm'a açılmasına da mani olan gayriislâmî bir tutum sergileyebilmektedir.

Düşülen ilk hata, İncil'lerin tahrife uğramış olmasını İncil'lerin içinde hiçbir hakikat bulunmadığı şeklinde anlamaktır. Oysa, 'tahrif'e uğramış bir kitab, hâlâ daha içinde hakikatler barındırıyor olabilir. Nitekim, Kur'ânî bir süzgeçten geçirildiğinde, pekâlâ hakikatlı olan birçok İncil âyeti görmek de olasıdır.

Resûl-i Ekrem'in hayatı öncesinde, onun zamanında ve sonrasında, İncil'den Hz. Peygamber'e dair işaretler çıkaran âlimler ve rahipler, İncil tamamen tahrif olmuş ise, bunu nasıl çıkarabiliyorlar? Bahîra gibi bir rahip, Varaka gibi bir Hıristiyan, nasıl Muhammed-i Arabî'de risaletin mührünü okuyabiliyor?

Hem, bin küsur yıl insanların hakikatten tamamen mahrum bir kitabın izinde yürümesi nasıl mümkün olabilir?

Kısacası, İncil'lerin tahrife uğraması ayrı şey, onda hâlâ daha hakikat bulunması ayrı şeydir. Meselâ, 'Siz hakikatı bilin. Ve hakikat sizi hür kılacaktır' âyeti (Yuhanna, 8:32) hürriyetin harika bir tarifi değil midir?

Oysa, Kur'ân'ın ehl-i kitabı 'dinlerini terk'e değil, 'tâdil'e çağıran haklı ve şefkatli hitabını hazmedememiş kimi Müslümanların nezdinde, İncil, âdeta, hiçbir âyeti hakikat taşımayan bir kitaptır. Velev ki hakikatlı olsun, Schopenhauer gibi dinsiz bir filozoftan yapılan bir iktibasa hiç kimse sesini çıkarmazken, İncil'den yapılan bir iktibas hemen 'Hıristiyanlık propagandası' gibi yaftalara konu edilmektedir. Dinsizlik veya en azından dünyevîlik kokan nice film sakin sakin seyredilmekte iken, insanların Müslümanların ettiği tarzda olmasa bile Allah'a ibadet ettiği Hıristiyan-temalı bir film büyük infial uyandırabilmektedir. Hiçbir uhrevî ve dinî boyut taşımayan laik kutlamalara yalnızca gülünüp geçilir, hatta çoğu zaman kıyıdan köşeden dahil de olunurken, insanları bize göre eksik ve hatta yanlış da olsa netice itibarıyla 'ibadet'e davet eden kilise çanına karşı açık bir tahammülsüzlük sözkonusudur.

İşin en kötüsü, Hıristiyanlara muhalefet derken, zaman zaman bir peygamber olarak Hz. İsa'ya da haksızlık ve saygısızlık yapılmasıdır.

Bu tutarsız, ölçüsüz ve haksız tavrın manidar bir göstergesi, birçok ehl-i dinin diline yerleşen 'bizim peygamberimiz' sözüdür. Hz. Muhammed, elbette bizim peygamberimizdir; söz, bu içeriğiyle doğrudur. Ama, bu söz, 'onların peygamberi' anlamını da zımnında taşır—ki, birçok Müslümanın zihnine yerleşen imge Hz. İsa'nın Hıristiyanların, Hz. Musa'nın ise Yahudilerin peygamberi olduğudur! Şahsen, 'bizim peygamberimiz' ve 'onların peygamberi' tabirleriyle yüklü nice konuşmaya şahit olmuşumdur.

Oysa Yahudiler Hz. İsa ve Hz. Muhammed'i, Hıristiyanlar ise Hz. Muhammed'i peygamber kabul etmeseler bile, bütün peygamberler bizim peygamberimizdir. Hz. İsa'nın adı anıldığında onu Hıristiyanların peygamberi olarak düşünmek ve uzağımızda hissetmek, müthiş bir yanılsamadır. İsa aleyhisselâmın adı anıldığında, yüreğinin derinliklerinde bir sevgi ve hürmet titreşimi hissetme durumundadır mü'min. Tüm peygamberler gibi, İsa aleyhisselam da 'bizim peygamberimiz'dir; İslâm peygamberidir. Kur'ân, mü'minlerin 'peygamberler arasında ayrım yapmaması'nı emretmektedir ve Resûl-i Ekrem'in (a.s.m.) beyanıyla, tüm peygamberler kardeştir. Hz. İsa ve Hz. Musa (a.s.), tam bir hürmetle yükümlü olduğumuz peygamberlerdir ve de Hâtem-i Enbiyanın (a.s.m.) kardeşleridir![96]

Ki, bir 'İslâm peygamberi' olarak Hz. İsa, tüm peygamberlerin haiz olduğu vasıfları bihakkın üzerinde taşıyan ulu'l-azm bir peygamberdir. Daha beşikte iken konuşan ve ilk sözü 'İnnî abdullah' olan; kulluğunu vurgulayıp risaletini haber verdiği bu mucizeyle iffet timsali Hz. Meryem'e iftira edenleri susturan bu mübarek peygamberin ağzından, hiçbir zaman imana mugayir bir söz sâdır olmamıştır. Peygamberler, tanım gereği, 'masum'durlar. Hepsi tevhid ehlidir, hepsi müslimdir, hiçbiri hiçbir zaman Allah'tan gayrı ilahlar edinmemiş; hiçbiri dünyevîlik batağına düşmemiştir.

Bu bakımdan, Batıdaki bazı 'laikliğin doğuşu' yorumlarının 'kes-kopyala-yapıştır' formülüyle İslâm beldesine intikali sonucu zihinlere yerleşen ve laikliğin zuhuru günahını Hz. İsa'ya yakıştıran, böylece Hz. İsa'nın hakkını ketmetmemize sebebiyet veren bir yaklaşımın ciddi bir elekten geçirilmesi mecburiyeti vardır. Laikliği Hz. İsa'ya dayandırmak—Kur'ân'ın tarif ettiği 'nebî,' 'resûl' ve 'İsa' gerçeğine göre—sakız gibi ağızda çiğnenip duracak bir 'çözümleme' değil, bir iftiradır.

Bilindiği üzere, laikliğe dair birçok bahiste, Hz. İsa'ya atfedilen "Sezar'ın hakkı Sezar'a, Allah'ın hakkı Allah'a"[97] sözü, cismanî iktidar-ruhanî iktidar ayrımının özeti ve de laikliğin önsözü olarak yorumlanır. Bu ise, aslında, 'Laikliği Hz. İsa başlattı' demeye gelir. Batılı düşünürlerin böylece dinî bir temele dayandırdığı bu laiklik tahlilini olduğu gibi alan kimi İslâmcılarımız ise, ardından 'bizim peygamberimiz'den örneklerle İslâm ve laikliğin birarada olamayacağını söylerler.

Hıristiyanî bir iklimde gelişen laik zihniyetin Hıristiyanî söz ve kavramları laik bir yorumlamaya tâbi kılması elbette mümkündür ve bu çerçevede "Sezar'ın hakkı Sezar'a, Allah'ın hakkı Allah'a" sözü de pekâlâ bir suiistimal konusu edilmiş olabilir. Ama, İslâmî bir ortam içinde laikliği yerleştirmek isteyenlerin sergilediği fikir cambazlıklarına aşina olan Müslümanların, hemen bu sözü ve Hz. İsa'yı 'laiklik'le lekelemesi yakışıksızdır.

Eğer bu söze dayanarak İsa aleyhisselâmı 'laikliğin başlatıcısı' gibi görmek doğruysa, hâşâ, Hz. Peygamber'in (a.s.m.) "Hiç ölmeyecekmiş gibi dünya için, yarın ölecekmiş gibi âhiret için çalışın"[98] hadisini dünyevîleşme ve laikliğin meşruiyet kaynağı olarak kullananlara da ses çıkarmamak gerekir. Hatta, Kur'ân'ın "Bize dünyada da hasene, âhirette de hasene ver" misali âyetlerinden laiklik üretenlere de ses çıkarmamak gerekir.

Gerek Kur'ân'dan, gerek hadisten 'laiklik' yorumları üretmeye çalışanlara karşı haklı olarak mücadele edilirken, kendi kültürel ortamlarında aynı işi Hz. İsa'yı 'kullanarak' başarmak isteyenlerin olabileceği ihtimali niye düşünülmez?

Maamafih, mevcut İncillerde söz veya anlam düzeyinde bir tahrifat sözkonusu olduğuna inandığımız, dolayısıyla bize göre tam anlamıyla muteber kaynaklarda geçmediği için, Hz. İsa gerçekten böyle bir söz söyledi mi, emin değiliz. Ama, Hıristiyanî kaynaklarda geçmesi, yukarıda değindiğimiz gibi, bir sözün muhakkak yanlış olduğu anlamına gelmiyor.

Burada, bir sözün makamını anlamak için ortaya konulan kıstaslar, sanırım açıklayıcı ve bir peygambere yönelik iftirayı kaldırıcı olacaktır. 'Unsuru'l-Belâgat' müellifi Said Nursî, bu kıstaslara şöyle değinmektedir:

> "'Söylenene bak, söyleyene bakma,' söylenilmiştir... Fakat ben derim: Kim söylemiş? Kime söylemiş? Ne içinde söylemiş? Ne için söylemiş? Söylediği sözü gibi [bunlara da] dikkat etmek, belâgat nokta-i nazarından lâzımdır, belki elzemdir."

Belâgat açısından elzem olan bu tavrın belki en çarpıcı misalini ise, kendisinin 'Sıddîk' ünvanıyla anılmasına vesile olan olayda, Hz. Ebu Bekir verir. Bir grup müşrik, Ebu Bekir'e (r.a.) gelir ve "Şimdi bakalım arkadaşın hakkında ne düşüneceksin? O bize dün gece Kudüs'e gittiğini, orada namaz kılıp geri döndüğünü söylüyor" derler. Hz. Ebu Bekir, buna karşılık, şu soruyu yöneltir: "Bunu siz mi söylüyorsunuz, o mu söylüyor?" Müşriklerin "Bunu o söylüyor" cevabı karşısında, Ebu Bekir (r.a.), ona Sıddîk ünvanını kazandıracak şu karşılığı verir: "O söylüyorsa, doğrudur!"

Ebu Bekir radıyallahu anh, "O söylüyorsa, doğrudur" demiştir. Zira, söylenen söz kadar, söyleyen de önemlidir. Düşmanları nezdinde bile 'el-Emîn' olarak anılan, Rabbinin insanlığa yönelik son ve ekmel vahyine elçi olan, hayatında ve sözlerinde asla yalan bulunmayan ve birçok mucizenin mazharı olan bir nebînin söylemesi ile başka birinin söylemesi elbette aynı şeyler değildir.

Keza, dünya ve âhireti birbirine bitişik iki ayrı alan olarak gören, âhireti âdeta Türkiye sınırının bittiği yerde Bulgaristan sınırının başlaması gibi yatay bir düzlemde algılayan bir insanın "Hiç ölmeyecekmiş gibi dünya, yarın ölecekmiş gibi âhiret için çalışın" sözüne yüklediği anlam ile, "Dünya âhiretin mezraasıdır"[99] buyuran ve Mi'racı ile âhiret âlemleri kendisine gösterilen bir zâtın bu sözü söylerken ifade ettiği anlam aynı olmayacaktır.

O şanlı nebî, bu söz ile mü'minlere dünyanın âhirete ve esmâ-i hüsnâya bakan yüzünde fena ve zeval olmadığını, dünyanın o yüzüne muhatabiyetin ebedî bir cennete mazhariyetin önsözü olduğunu öğretmekte; dünyanın fani yüzüne takılıp kalmaktan kurtulma çaresi olarak da ölümü hatırlamamızı önermektedir. Fani dünyanın fani lezzetlerini tahrip edip acılaştıran ölüm, bize haşri, Mahkeme-i Kübra'yı, âhiret âlemlerini, cennet ve cehennemi hatırlatmakta; böylece dünya hayatını 'âhirete ve esmâ-i hüsnâya karşı' değil, 'âhiret ve esmâ-i hüsnâ için' yaşama haline tekrar kavuşmanın önsözü olmaktadır.

Dünya ve âhireti iki ayrı alan olarak gören; ve 'iki tarafı da idare ettiğini düşünen' laik kafalar bu sözü kendi anlayışlarınca yorumluyor ise, yanlış olan bu yorumdur—sözün kendisi değil.

Zaten, Kur'ân, 'kalblerindeki eğrilik' yüzünden Kur'ân âyetlerini bile yanlış yorumlayıp sapanlardan söz etmekte değil midir? Âyetin hakikati, onların yanlış yorumundan elbette münezzehtir. Yanlış da, sorumluluk da kalbinde eğrilik olanındır.

Aynı şekilde, "Sezar'ın hakkı Sezar'a, Allah'ın hakkı Allah'a" sözü, bir tevhid peygamberi olarak İsa aleyhisselam söylüyorsa başka; cismanî iktidar-ruhanî iktidar ayrımını formüle eden bir Hıristiyan bilgini veya rahibi söylüyorsa başka türlü yorumlanmalıdır. Diğer bir deyişle, bu sözü Hz. İsa söylüyorsa doğrudur ve 'nebevî ölçüler dahilinde' anlaşılmalıdır. Ama gerçek İsevîliği cismanî iktidar-ruhanî iktidar ayrımı ile laikleştiren ve 'şeriatsız bir din'e dönüştürerek dünyevî iktidarlarla barıştıran biri söylüyorsa yanlıştır. Söz Hz. İsa'nın sözü olarak doğru da olsa, sözkonusu kişilerin yaptığı yorum yanlıştır.

Bir kez daha belirtelim: Hz. İsa, bir peygamberdir. Ve bütün peygamberler, müslimdirler. İslâm, bütün peygamberlerin tebliğ ettiği saf dini içerir. Nitekim, tüm peygamberlerin kendisinin kardeşi olduğunu beyan eden Hz. Peygamber (a.s.m.), "Ben ve benden evvel gelen peygamberlerin en ziyade faziletli ve kıymetli sözleri 'lâ ilâhe illallah'tır"[100] hadisiyle de aynı nebevî asla dikkat çekmektedir.

Ve bütün peygamberler, bize bir 'denge' halini öğretmiş; bizi, dikkat edilmediği takdirde gayrikasdî bir nazarla rahatlıkla düşülebilen ifrat ve tefrit çukurlarından kurtarmış, bu çukura düşenleri de kurtarma cehdinde olmuşlardır. Irk ayrımının galeyanda olduğu bir asırda "Başınızdaki kişi Habeşî bir siyah köle olsa bile ona itaat ediniz"[101] diyerek ulu'l-emre itaatin altını çizen Peygamber'in (a.s.m.), aynı zamanda "Yaratıcıya isyan konusunda yaratılana itaat yoktur"[102] da buyuran peygamber olması, bunun en net örneklerinden biridir.

Hicret esnasında sığındıkları mağara kuşatıldığında "Üzülme, Allah bizimledir" buyuran Nebî (a.s.m.), aynı zamanda, savaşa zırh giyerek çıkan ve Medine etrafına hendek kazdıran nebîdir. "Mülk O'nundur" dersini durmaksızın veren Resûl (a.s.m.), aynı zamanda, "Bende bir hakkı olan varsa işte sırtım, gelsin alsın" buyuran resûldür. Hiçbir zaman, ondan, "Zaten mülk Allah'ın değil mi? Sen hâlâ hangi haktan söz ediyorsun?" gibi bir söz sâdır olmamıştır.

O nebîlerin ve elbette Hâtemü'l-Enbiya'nın (a.s.m.) talimiyle, mü'minler kimi kritik ayrımların şuuruna ermişlerdir. Esbab dairesi-itikad dairesi, mülk âlemi-melekût âlemi, şehadet âlemi-gayb âlemi, hukuk-u ibad-hukukullah, dünya-âhiret gibi ayrımlar bunun örneğidir. Fakat, zahirperestlerin zannettiği gibi, bu ayrımlar, aynı cinsten şeylerin ayrımı değildir. Bu ayrımın iki ucunda yer alan iki âlem, iki daire veya iki hukuk aynı düzlemde değildir. Biri *asıl*, diğeri ise *nisbî* ve *itibarî*dir; itibarî olan, asıl olan itibarıyla ve ona nisbetle bir varlık ve anlam taşımaktadır.

Buna göre, aslolan melekût âlemidir, âlem-i gaybdır, daire-i itikaddır ve âhirettir. Dünyanın âhirete nisbetle bir değeri vardır. Şehadet âlemi, adı üstünde, 'âlem-i gayb'ın şahidi olmak üzere vardır. Mülk âlemi, âlem-i melekûtun önünde tenteneli bir perdedir. Daire-i itikad asıldır, yani sebepleri ve sonuçları yaratan O'dur; ama sebepleri, şu dünyanın imtihan meydanı oluşu gibi çok hikmetlere binaen kudretinin önünde bir perde kılmıştır—şeytana ve nefsine râm olanların hakikati görmemesine yeten, ama hakkı arayan ve fıtratını bozmayan insanların hakikati bulmasına engel olmayacak kadar da ince bir perde...

Keza, hukukullah, hukuk-u ibadı da içermektedir. Allah'ın kulları üzerindeki haklarından biri, kulun Allah'ın hayat ve vücud verdiği sair kulların hukukunu çiğnememesidir. Dünya diye bir yer ve dünya hayatı diye bir hayat vardır; ama bu dünya 'esmâ-i hüsnânın cilvelerinin sergi yeri ve âhiretin tarlası'dır; dünya hayatı da bu şuurla yaşanmalıdır. Sebepler yalnızca bir perdedir; herşey O'ndandır. Şu âlem, 'şiddet-i zuhurundan gizlenen' Zât-ı Kibriya'nın varlığına şahit olmak üzere vardır.

Kısacası, bütün bu ayrımlar, laiklerin dini vicdanlara hapseden veya din ile devletin arasına duvar ören ayrımları türünden 'yatay düzleme ait' ayrımlar değildir. Bilakis, herşeyi bir dengeye oturtan 'dikey düzleme ait' ayrımlardır. Bu ayrımlar, insanı meselâ ateizmden de, panteizmden de kurtarır. İfratı reddederken, tefrite düşmekten alıkoyar. Mu'tezilî olmayayım derken Cebriye olmaktan, Cebriye olmayayım derken Mu'tezilî olmaktan azade kılar.

Mü'min, esbaba tevessül eder; ama sonucu esbabdan bilerek değil. Mü'min, ulu'l-emre itaat eder; ama hâşâ ulu'l-emri ve/veya devleti putlaştırarak değil. Mü'min dünya hayatını yaşar; ama dünyayı âhirete bitişik, yani ondan ayrık bir âlem gibi düşünerek değil. Mü'min âlem-i mülkte yaşar; ama onu melekûta perde ederek değil. Ve yine mü'min, şu dünyada kulların hukukuna riayet eder; ama hukukullah gereği yapar bunu.

İşte, "Sezar'ın hakkı Sezar'a, Allah'ın hakkı Allah'a" sözü, eğer gerçekten İsa nebînin sözü ise, Resûl-i Ekrem'in ders verdiği bu hakikatler ışığında anlaşılmalıdır. Bu çerçevede yorumlandığı sürece, bu söz son derece doğru, son derece anlamlıdır. Nitekim, her mü'min bu sözün sunduğu nebevî denge halinde yaşama durumundadır.

Ehl-i dünya için, yalnızca 'Sezar'ın hakkı' vardır. Onun dünyası 'sebepler dünyası'ndan ibarettir. O, aynayı merci, gölgeyi asıl sanır. Sonucu sebeplerden bilir. Öyle olduğu için de, onun kafasında iş 'sebep Sezarları'nda biter. Esbab şirkine duçar olmuş bir kişi, herşeye sebeplere ve vasıtalara taksim eder; ve sonuçta Allah'a tevdi edilecek hiçbir 'hak' kalmaz.

Mü'min ise, sebebi ve sonucu Rabbinden bilir, ama sebebi inkâr etmez. Meselâ, meyveyi alırken bilir ki, o meyve ne ağacın yaratmasıdır, ne de bahçıvanın; ağacı yaratan da O'dur, bahçıvanı yaratan da, meyveyi yaratan da. Mü'min, bu hakikati bilir, meyveyi sebeplere havale etmez. Asıl olan 'daire-i itikad' açısından, durum budur. Ama, Allah'ın bir kulu olan, O'nun verdiği kol ve beyin gücü ile işgören, O'nun yarattığı toprağı belleyip O'nun fıtrî şeriatına uyan bahçıvanın, 'daire-i esbab' açısından, bir 'kesb'i vardır; mü'min ona bu emeğinin karşılığını verme durumundadır.

Mü'min 'daire-i esbab'da bahçıvana ücretini öder; ama 'daire-i itikad' açısından, hamd ve şükrünü meyve sonucuyla birlikte bahçıvan, ağaç, toprak vs. sebeplerini de yaratan Allah'a tevdi eder.

Keza, bir ikrama muhatap olduğunda, ikram edene teşekkür eder; ama onu yalnızca 'icad'dan eli kısa bir 'vesile' olarak bilir; bu 'teşekkür'ü Rabbine yönelik 'şükr'ün engeli değil, önsözü kılar. Ki, bir hadisin ihbarıyla, "İnsanlara teşekkür etmeyen, Allah'a şükredemez."[103] Yani, ancak muhatap olunan kulun 'teşekkür' hakkını ödeyen kişi, Allah'ın 'şükür' hakkını ödemeye müyesser olur.

Kısacası, ayna muhafaza edilmelidir; çünkü mazhardır. Cenab-ı Hak'tan gelen feyze ma'kes olur. Fakat ona, feyiz noktasında, vesilelikten öte bir makam verilmemesi de lâzımdır. Onun kaynak değil mazhar, asıl değil ayna olduğu kesinlikle unutulmamalıdır.

Kaldı ki, bu sözü, Hz. İsa'ya ait ise dahi laikliğin ifadesi olarak görenler, bu kafayla, herhalde fukahayı da 'laik' ilan edeceklerdir! Zira, yukarıda sözü edilen İslâmî ölçülerin rehberliğinde düşünen; Kur'ân ve Sünnete dayanarak hükmeden fakihlerin ekserisi, gayrimüslim bir beldede yaşayan bir müslümanın 'vergi kaçırması'nı caiz görmemişlerdir. Verilen zekâtı vergi yerine saymak mümkün olmadığı gibi, kaçırdığı vergiyi zekât olarak istimal etmek de caiz görülmemiştir. Bu hükümlerin gerisindeki hikmet ile Hz. İsa'nın sözünün gerisindeki hikmet, birbirine muvafık düşmektedir.

Nebîlerin varisi olan, zira nebevî esaslara göre hükmeden fakihlerin hiçbiri laik olmadığı gibi, onların kendilerine varis oldukları nebîler de laik değildir. Her nebî ya bizatihî bir şeriatın elçisi olmuş veya kendinden önceki bir peygamberin şeriatını takip etmiştir. Bir nebî olarak Hz. İsa'nın din ile dünyayı, dünya ile âhireti ayıran ve laikliği işmam eden bir söz söylemesi mümkün değildir. Ama kalblerinde laiklik illeti taşıyanların Hz. İsa'ya atfedilen bir sözü laikliğin âleti kılmaları pekâlâ mümkündür. Bu, onların günahıdır; Hz. İsa'nın değil.

İsa aleyhisselam dahil, bütün peygamberler, adı üstünde 'peygamber'dirler. Hiçbiri laikliğin ve dünyevîliğin adresi kılınamazlar. Tevhidin, saf dinin ve sırat-ı müstakîmin adresidir onlar.

Umumî bir hatırlatma

BELİRTİLMESİ GEREKİR Kİ, *Hadis Okumaları*, usul-i hadis ve ilm-i hadis konusunda ihtisas kesbetmiş bir kişinin kaleminden çıkmış değildir. Bu kitap, elçiliğine iman ettiği kudsî nebînin (a.s.m.) sözlerinden hayata dair ölçüler ve dersler çıkarmaya gayret eden, ama hadis konusunda uzmanlaşmamış bir mü'minin kaleminden çıkmıştır.

Bir hadis uzmanı olmayan yazar, buna karşılık, uzmanlığa saygıda kusur etmeme gayretinden uzak değildir. Nitekim, çalışma boyunca, genel olarak İslâmî ilimler, özel olarak da hadis konusunda uzmanlaşmış alimlerin çalışmaları esas alınmıştır. Kitapta dile getirilen hadislerin kaynağını gösterme noktasındaki titizlik, bunun bir göstergesidir.

Yazar, bu noktada, birkaç hususu belirtme ve bazı umumî yanlış algılamalara dikkat çekme ihtiyacı duymaktadır.

Sözkonusu algılama yanlışlarının ilki, 'sahih hadis'lerle ilgilidir. Buhârî ve Müslim'in hadis külliyatlarının *Sahiheyn* olarak tarifinden hareketle, kimi zihinler, bu iki kaynak dışındaki hadislere şüpheyle bakmaktadır. Benzer bir şüphe, en ziyade kabul görmüş altı hadis kitabı (Kütüb-i Sitte) ya da dokuz hadis kitabı (Kütüb-i Tis'a) dışında kalan kaynaklar için de sözkonusudur.

Oysa, sahih hadis külliyatları *Sahiheyn*'le, yahut bu iki külliyatın da içinde yer aldığı Kütüb-i Sitte veya Kütüb-i Tis'a ile sınırlı değildir. İbn Ebi Şeybe'nin *Musannef*'i, İbn Huzeyme'nin *Sahîh*'i, Hakim'in *Müstedrek*'i gibi; Buhârî'de, Müslim'de ve Kütüb-i Tis'a içinde yer alan sair külliyatlarda bulunmayan çok sayıda sahih hadisi ihtiva eden, hepsi de ciltler dolusu üçyüzün üzerinde külliyat bulunmaktadır. Yani, bir hadis için kaynak olarak Buhârî'nin *Sahih*'i gösteriliyorsa bu o hadisin sahihliğine delâlet ederken; Bezzâr'ın *Müsned*'i, Müsedded b. Muserhed'in *Müsned*'i, Beyhakî'nin *Sünen*'i, Suyutî'nin üç *Câmi*'i veya el-Hârisî'nin *Müsned*'i kaynak olarak gösteriliyorsa, bu o hadisin sahih olmadığı şüphesini hak ediyor değildir. Abdülhakim Murad, fukahanın hükümlerini bina ettikleri, ama *Sahiheyn*'de, dahası Kütüb-i Tis'a'da bulunmayan iki hadisi örnek olarak zikretmektedir. (bkz. Abdülhakim Murad, *Postmodern Dünyada Kıbleyi Bulmak*, İstanbul: Gelenek Yayıncılık, 2003, ss. 192-3.) Çağlar boyu hadis üzerine yapılmış, hepsi de takdiri ve teşekkürü hak eden çalışmaların dokuz isme ve dokuz kitaba hasredilmeyecek kadar geniş ve derin olduğunu görmek isteyen, Abdülhayy el-Kettânî'nin *er-Risâletü'l-Mustatrafe* (Hadis Literatürü) başlıklı kitabına bakabilir (terc. Yusuf Özbek, İstanbul: İz Yayıncılık, 1994). Hadis kitaplarının ve muhaddislerin dikkatli bir dökümünü veren bu kitap, bizi okyanus kadar geniş bir hadis külliyatıyla tanıştırmaktadır.

Bilvesile, alimlerin üzerine fıkhî bir hüküm bina edilecek hadislerin senedi ve sıhhati konusunda daha titiz davrandıkları da belirtilmelidir. İsnadındaki bir zayıflıktan dolayı üzerine fıkhî bir hüküm bina etmekten alimlerin içtinab ettiği bir hadis metni, içerdiği ahlâka dair ölçüler itibarıyla ise pekâlâ kabul görebilmiştir. Benzer bir farklılık, hadis kitapları ile siyer kitapları arasında da sözkonusudur.

Bir üçüncü husus, alimlerin hadis kriterlerine uygun bulmadığı bir sözün 'hadis'liğinin mutlak anlamda reddedilmediğidir. Bu söz, Kur'ân'la ve sahihlik kriterlerine uygun hadislerle çelişmiyorsa, 'sahih hadis' olarak kabul edilmemiş olsa bile, mutlak anlamda reddedilmemiştir. Nitekim, özellikle tasavvufî eserlerde, yanısıra Gazalî'nin *İhya*'sı ve Bediüzzaman'ın *Risale-i Nur*'u gibi eserlerde, böylesi hadislerin bir tefekkür vesilesi kılındığı görülmektedir.

Hadis alimlerinin hadis rivayetlerini ne kadar ince ve hassas bir elekten geçirdiğini anlamak isteyenler, Diyanet İşleri Başkanlığı'nın yayınladığı *Tecrid-i Sarîh Tercümesi ve Şerhi*'nin ilk iki cildinde Babanzâde Ahmed Naim merhumun yazdığı geniş açıklamalara; keza, merhum Prof. İbrahim Canan'ın Akçağ Yayınları'nca yayınlanan *Kütüb-i Sitte Tercümesi ve Şerhi*'nin ilk iki cildine yazdığı geniş notlara bakabilirler.

Diğer taraftan, Bediüzzaman Said Nursî'nin "Yirmidördüncü Söz"-ünün "Üçüncü Dal"ının, "oniki asıl" ile, 'akıllarına güvenen,' 'imanı zayıf,' 'enaniyeti kavî' kişilerin hadis reddiyeciliğine karşı kısa ama son derece önemli metodik açıklamalar getirdiği özellikle hatırlanmalıdır.

Notlar

[1] Buhârî, Hacc 132, Edâhî 5; Tefsîr, Berâe 8, Bed'i'l-Halk 2, Fiten 8, İlm 9; Müslim, Kasâme 29; Ebu Dâvûd, Hac 63.

[2] Buhârî, İman 3; Müslim, İman 37-38; Ebu Dâvud, Sünnet 15; Tirmizî, İman 6; Nesâî, İman 16; İbn Mâce, Mukaddime 9.

Şu rivayet de dikkat çekicidir: "Hiçbir hayır ameli olmayan bir adam yoldan geçenleri rahatsız eden bir ağaç dalını oradan kaldırıp attı. Allah da bu amelinden memnun kalarak onu cennetine koydu." Ebu Dâvûd, Edeb 163; Münâvî, *Feyzu'l-Kadîr*, 4:546.

[3] Bkz. Buhârî, Cihâd 72, 128, Sulh 33; Müslim, Müsâfirîn 84, Zekât 56. Buhârî ve Müslim'in Ebu Hureyre'den (r.a.) rivayetle kaydettikleri üzere, hadis tam olarak şöyledir: "Güneşin doğduğu her yeni günde kişinin her bir mafsalı için bir sadaka vermesi gerekir. İki kişi arasında adaleti sağlaman bir sadakadır. Kişiye hayvanını yüklerken yardım etmen bir sadakadır. Güzel söz sadakadır. Namaza gitmek üzere attığın her adım sadakadır. Yoldan rahatsız edici birşeyi kaldırıp atman sadakadır."

[4] Bkz. Buhârî, Zekât 24, Büyu' 100, Itk 12, Edeb 16; Müslim, İman 194-196.

[5] Bkz. Müslim, İman 365: Hz. Âişe (radıyallahu anhâ) anlatıyor: "Dedim ki: 'Ey Allah'ın Resûlü, İbn Cüd'an Cahiliye devrinde sıla-i rahimde

bulunur, fakirlere yedirirdi. O bundan fayda görecek mi?' Resûlullah (aleyhissalâtu vesselam) şu cevabı verdi: '(Hayır, bu) iyiliklerin ona bir faydası olmayacaktır. Çünkü o bir gün bile 'Yâ Rabbi! Kıyamet günü günahlarımı bağışla!' dememiştir.'" Hadisin Ahmed b. Hanbel, *Müsned*, c. 6, s. 120'de yer alan metninde, şu devam cümlesi vardır: "O, yaptığı bu iyilikleri övülmek için yapmış ve övülmüştür de!"

[6] Heysemî, *Mecmeu'z-Zevâid*, 8: 167 (Sikât).

[7] Mansur Ali Nâsıf, *et-Tâc*, 1:13 (Mukaddime).

[8] "Muhakkak ki, Allah Âdem'i Rahmân'ın sûretinde yaratmıştır." Buhârî, İsti'zan 1; Müslim, Birr 115, Cennet 28; Ahmed b. Hanbel, *Müsned*, 2:244, 251, 315, 323, 434, 463, 519.

[9] Bkz. "Ben ancak güzel ahlâkı tamamlamak için gönderildim." Buhârî, Edeb; Hakim, *Müstedrek*, Beyhakî, *Şuabu'l-İmân*'dan naklen Suyutî, *Câmiu's-Sağîr*, 2:572.

[10] Müslim, İman 147; Ebu Dâvûd, Edeb 29; Tirmizî, Birr 61.

[11] Muvatta, İsti'zan 38.

[12] Tirmizî, Edeb 41.

[13] Bezzâr'ın *Müsned*'inden naklen, bkz. *Kütüb-i Sitte Tercüme ve Şerhi*, 10:390.

[14] Ebu Dâvûd, Hamâm 2; Nesâî, Gusl 7.

[15] Tirmizî, Sıfâtu'l-Kıyâme, 27.

[16] İbn Mâce, Edeb 36, Ahmed b. Hanbel, *Müsned*, 4: 92, 93, 98.

Bu hadisin kişiyi onda olmayan özelliklerle veya Allah'ın ona verdiği özellikleri onun şahsına maledererek methetmeyi yasakladığı, kişiyi onda görünen özelliklerle ve gurura düşürmeyecek bir tarzda takdire ise asla engel teşkil etmediği alimlerce net biçimde vurgulanmıştır.

Hz. Peygamber'in bazı sahabilerinin öne çıkan üstün özellikleri için son derece takdirkâr ifadeler kullandığı bilvesile hatırlanmalıdır. Hadis külliyatlarının 'sahabilerin faziletleri'ne ayrılmış bölümlerinde bu mânâda birçok hadis bulunmaktadır. Bu hadisler içerisinde şu hadis örnek olarak herhalde yeterlidir: "Ümmetim(in fertleri arasında) ümmetime karşı en çok merhametli olan kimse Ebu Bekir'dir. Onlar içinde Allah'ın emri hususunda en çok titiz olanı Ömer'dir. Hayâ cihetiyle en şiddetli olanı Osman'dır. (Davalarda) en isabetli hüküm vereni Ali'dir. Helal ve haramı en iyi bileni Muaz ibnu Cebel'dir. Ferâizi en iyi bilen Zeyd ibnu Sâbit'tir. Kur'ân okumasını en iyi bileni Übeyy ibnu Ka'b'dır. Her ümmetin bir emîni vardır. Bu ümmetin emîni Ebu Ubeyde ibnu'l-

Cerrâh'dır. Ebu Zerr'den daha doğru sözlü olan birini ne gök gölgeledi, ne de yer taşıdı. O, verâda Hz. İsa aleyhisselam gibidir." Tirmizî, Menâkıb, hadis no: 3793, 3794.

[17] Ebu Dâvûd, Edeb 122; Tirmizî, Zühd 54.

[18] Ebu Dâvûd, Edeb 122.

[19] Hadisin Ebu'n-Nadr'ın Abdullah b. Ebî Evfâ radıyallahu anh'tan rivayet ettiği tam metni şu şekildedir: "Ey insanlar, düşmanla karşılaşmayı temenni etmeyin, Allah'tan afiyet dileyin. Ancak karşılaşacak olursanız sabredin. Bilin ki, cennet kılıçların gölgesindedir." Buhârî, Cihâd 156, 22, 32, 112, Temennî 8; Müslim, Cihâd 20; Ebu Dâvûd, Cihâd 98. Hadisin "Cennet kılıçların gölgesindedir" kısmı mü'minler arasında çokça zikredilip hâfızalara yerleşmişken, ilk ve en kritik cümlenin gözlerden gizli kalmış olması üzücüdür ve manidardır. Oysa, hadisin tam metninden anlaşıldığı üzere, aslolan, 'düşmanla karşılaşmayı ummamak,' 'Allah'tan afiyet dilemek'tir. Gölgesinde cennetin bulunduğu kılıçları kullanmak, hadisten anlaşıldığı üzere, temenni edilen ilk şey değil, başvurulan 'son çare' olmalıdır.

[20] Buhârî, Edeb 76; Tirmizî, Birr 73; *Muvatta*, Hüsnü'l-Hulk 11.

[21] Buhârî, Ahkâm 13; Müslim, Akdiye 16; Tirmizî, Ahkâm 7; Ebu Dâvûd, Akdiye 9; Nesâi, Kudât 17.

[22] Tirmizî, Hudûd 2.

[23] Şu hadislerin, bu bağlamda kesinlikle akılda tutulması gerekmektedir:

- İbn Mes'ud (radıyallahu anh) anlatıyor: Resûlullah (aleyhissalâtu vesselam) şöyle buyurdu: "Benden önce Allah'ın gönderdiği her peygamberin mutlaka ümmetinden havarileri ve arkadaşları olmuştur. Bunlar onun sünnetiyle amel ederler, emirlerini de yerine getirirlerdi. Sonra, bu peygamberlerin ardından öylesi kötülükler zuhûr etmişti ki, yapmadıklarını söyleyip, kendilerine emredilmeyeni de yapmışlardır. Kim bu güruhla eliyle mücahede ederse mü'mindir. Kim onunla diliyle mücahede ederse o da mü'mindir. Kim de onlarla kalbiyle mücahede ederse o da mü'mindir. Bunun gerisine, artık zerre miktar iman yoktur." Müslim, İman 80.

- Ka'b b. Ucre (radıyallâhu anh) anlatıyor: Resûlullah (aleyhissalâtu vesselam) bana şunu söyledi: "Ey Ka'b ibnu Ucre! Seni, benden sonra gelecek ümeraya karşı Allah'a sığındırırım. Kim onların kapılarına gider ve onları yalanlarında tasdik eder, zulümlerinde de onlara yardımcı olursa, o benden değildir, ben de ondan değilim; âhirette havz-ı kevserin başında yanıma da gelemez. Kim onların kapısına gitmez, yalanlarında onları tasdik etmez, zulümlerinde de yardımcı olmazsa, o bendendir, ben de ondanım; o kimse, havzın başında yanıma gelecektir." Tirmizî, Salât 433; Nesâî, Bey'ât 35, 36.

• "En efdal cihad, zalim sultana karşı hakkı söylemektir." İbn Mâce, Fiten 20; Ahmed b. Hanbel, *Müsned*, 5: 251, 256.

• "Zayıfların intikamını güçlülerden almayan bir ümmeti Allah nasıl temize çıkarır ki?" İbn Mâce, Fiten 21.

• "Öyle idareciler gelecek ki, istediklerini söyleyecekler, fakat kimse ses çıkarmayacak. Bunlar, birbiri peşisıra cehenneme yuvarlanacaklar." *Câmiu's-Sağîr*, 3:266.

[24] Buharî, Ezân 60, 63, 66, 74; Müslim, Salât 178; Ebu Dâvûd, Salât 127; Nesâî, İmâmet 39, 41; İftitâh 63, 70.

[25] Bilvesile, Tâbiîn'den Şakîk b. Seleme kanalıyla gelen bir hadisi de aktarmak gerekiyor. Şakîk'in belirttiğine göre, bir adam Abdullah b. Mes'ud'a gelerek, "Ben bir rekatte mufassal sûrelerin tamamını okudum" der. Ki, Kur'ân sûrelerinin âyet sayısına göre dörde ayrıldığı; ilk cüzlerdeki yedi en uzun sûreye 'seb'u't-tuvel' (yedi uzunlar), yüzden fazla veya yüz civarında âyeti olan sûrelere 'miun' (yüz âyetliler), yüzden az âyetli ama en az üç-dört sayfa devam eden sûrelere 'mesânî' denildiği, bunlardan da kısa sûrelerin ise 'mufassal' (kısa sûreler) diye adlandırıldığı dikkate alınırsa, son iki cüzde yer alan kimisi üç satırlık, kimisi iki sayfayı aşan sûrelerin tamamı 'mufassal' tanımı içine girmektedir. Açıkçası, Abdullah b. Mes'ud'a gelen ilgili zât namazda son iki cüz'ün tamamını, yanısıra yirmisekizinci cüz'ün bazı sûrelerini okumuş olmalıdır.

Bu açıklama üzerine, Abdullah b. Mes'ud adama "Şiir mırıldanır gibi mırıldanır, meyve döküştürür gibi döküştürür müsün? Olmaz öyle şey!" diye itirazda bulunmuş ve "Resûlullah aleyhissalâtu vesselam tek rekatte birbirine denk iki sûre okurdu" diyerek şu örnekleri vermiştir: "Bir rekatte İkterebet ve el-Hâkka sûrelerini, bir rekatte Ve't-Tûr ve Ve'z-Zâriyât sûrelerini; bir rekatte Ve izâ vaka'at ve Nûn sûrelerini; bir rekatte Seele sâilûn ve Ve'n-Nâziât sûrelerini; bir rekatte Veylün li'l-Mutaffifîn ve Abese sûrelerini, bir rekatte el-Müddessir ve el-Müzzemmil sûrelerini; bir rekatte Hel etâ ve Lâ uksimu bi yevmi'l-Kıyâme sûrelerini, bir rekatte Amme yetesâelûn ve Ve'l-Mürselât sûrelerini; bir rekatte de ed-Duhân ve İze'ş-şemsu küvvirat sûrelerini okurdu." (Buhârî Ezân 106, Fedâilu'l-Kur'ân 6, 28; Müslim, Müsâfirîn 275; Ebu Dâvûd, Salât 326; Nesâî, İftitah 75; Tirmizî, Salât 422).

Abdullah b. Mes'ud'un 'zorlaştıran' bir mü'mine Resûlullah'tan verdiği bu 'kolaylaştırma' örneği sûrelerin büyük kısmının bir sayfadan daha hacimli olduğu, ama iki sayfayı da geçmedikleri görülmektedir.

[26] Aliyyü'l-Kârî, *Şerhu'ş-Şifâ*, 1:6; Aclûnî, *Keşfü'l-Hafâ*, 2:164.

[27] Bediüzzaman Said Nursî, *Emirdağ Lâhikası*, (İstanbul: Sinan Matbaası, 1959), I, s. 83.

[28] İbn Mâce, Mukaddime 23; Zühd 2.

"Kim gam ve tasalarını bire indirir ve gönlünde sadece ahiret tasasına yer verirse, onun dünyevî gamlarını Allah izale eder. Kim de gam ve tasalarını dünyaya dağıtacak olursa, Allah onun vadilerden hangisinde helâk olduğuna aldırmayacaktır" hadisi, şu hadisle birlikte okunduğunda daha bir anlam kazanmaktadır: "Ameller niyetlere göredir. Herkese niyet ettiği şey vardır. Öyleyse kimin hicreti Allah'a ve Resûlüne ise, onun hicreti Allah ve Resûlünedir. Kimin hicreti de elde edeceği bir dünyalığa veya nikâhlanacağı bir kadına ise, onun hicreti de o hicret ettiği şeyedir." Buhârî, Bed'u'l-Vahy 1, Itk 6, Menâkıbu'l-Ensâr 45, Nikâh 5, Eymân 23, Hiyel 1; Müslim, İmâre 155; Ebu Dâvûd, Talâk 11; Tirmizî, Fedâilu'l-Cihâd 16; Nesâî, Tahâret 60.

[29] Buhârî, Edeb 60; Müslim, Zühd 52.

[30] *Muvatta*, Kelâm 8.

[31] Ebu Dâvûd, Tıbb 24. Ayrıca bkz. Müslim, Mesâcid 33; Ebu Dâvûd, Salât 171; Nesâî, Sehv 20.

[32] Ebu Dâvûd, Tıbb 24; Tirmizî, Siyer 47.

[33] Ebu Dâvûd, Tıbb 24.

[34] Müslim, İman 371.

[35] Bu konuda birden fazla hadis bulunmaktadır. Örnek olarak:

- Ebu Saîdi'l-Hudrî radıyallahu anh anlatıyor: "Resûlullah aleyhissalâtu vesselam hasta yatmakta iken yanına girdim. Elimi üzerine koydum, hararetini, yorganın üstünden elimin altında hissettim. 'Yâ Rasûlallah! Hararetiniz çok fazla!' dedim. 'Biz (peygamberler) böyleyiz. Belalar bize katmerli gelir, buna mukabil ücretleri de katmerli verilir' buyurdular. 'Yâ Rasûlallah! Hangi insanlar en çok bela çekerler?' dedim. 'Peygamberler!' buyurdular. 'Yâ Rasûlallah! Sonra kimler?' dedim. 'Sonra sâlihler!' buyurdular ve açıkladılar: 'Onlardan biri fakirliğe öylesine müptelâ olur ki, kendini örten abâdan başka birşey bulamaz. Onlar, sizin bollukla sevindiğiniz gibi fakirlikle sevinirler.'" (İbn Mâce'den naklen *Kütüb-i Sitte Tercüme ve Şerhi*, c. 17, s. 542.)

• Mus'ab b. Sa'd'dan, o da babasından: "Dedim ki: 'Yâ Rasûlallah! İnsanların içinde en çetin belaya uğrayanlar kimlerdir?' Şöyle buyurdu: 'Peygamberler, sonra sırasıyla derecelerine göre insanlar; sonra sırasına göre insanlar. Sonra kişi dinine göre imtihana maruz kalır. Eğer dinine sıkıca bağlı ise, Allah onu çetin bir bela ile imtihan eder. Eğer dinine bağlılığında gevşek ise, Allah onu dini nisbetinde imtihan eder." Rûdânî, *Cem'u'l-Fevâid*, hadis no: 2311; Tirmizî (no: 2437) ve İbn Mâce (no: 4023)'ten naklen.

• "Büyük mükâfat, büyük belâ ile birliktedir. Şüphesiz Allahu Teâlâ bir kavmi sevdiğinde onları [belâlara] müptela kılar." Rûdânî, *Cem'u'l-Fevâid*, hadis no: 2307; Tirmizî (no: 2396) ve İbn Mâce (no: 4031)'den naklen.

[36] Suyutî, *Câmiu's-Sağîr*, 6:267.

[37] Müslim, Mesâcid 2.

[38] Ebu Dâvûd, Melâhim 10: Hz. Enes (radıyallâhu anh) anlatıyor: "Resûlullah aleyhissalâtu vesselam bana: 'Ey Enes!' dedi. 'İnsanlar yurtlar ediniyor. Bu yurtlardan biri Basra ve Busayra diye tesmiye edilmektedir. Eğer sen oraya uğrar veya ona girersen, oranın çorak arazisinden, gemilerin yanaştığı limanından, çarşısından, ümerasının kapılarından sakınasın!'"

[39] Müslim, Fedâilu's-Sahâbe 100.

[40] Buhârî, Zekât 47, Cum'a 28, Cihâd 37, Rikâk 7; Müslim, Zekât 123; Nesâî, Zekât 81.

[41] Buhârî, Nikâh 1; Müslim, Nikâh 5; Nesâî, Nikâh 4.

Hz. Âişe'den gelen başka bir rivayette, Efendimiz aleyhissalâtu vesselam'ın kendisinin eda ettiği ruhsat ifade eden bir amelden bazılarının kaçındığını işittiğinde bir hutbe irad ettiği; bu hutbede, Allah'a hamd ve senâda bulunduktan sonra şöyle buyurduğu bildirilmektedir: "Allah için söyleyin. Bazıları benim yaptığım şeyi beğenmeyip, kaçınıyorlarmış; bu doğru mu? Allah'a yeminle söylüyorum, ben Allah'ı onlardan çok daha iyi biliyorum. Allah'tan duyduğum korku da onların duyduklarından çok daha fazladır." Buhârî, İ'tisam 5, Edeb 72; Müslim, Fedâil 127.

[42] Ebu Dâvûd, Edeb 52. Hz. Peygamber'in bu sözlerin hemen akabinde

Hadîd sûresinin 27. âyetinden şu cümleleri okumuş olması da elbette manidardır: "Bir de ruhbaniyet ki, onu onlar icad ettiler. Biz onu üzerlerine yazmamıştık. Sonra da ona hakkıyla riayet etmediler."

[43] Bkz. *Müsned*, V, 252; Tirmizî, Zühd 35; İbn Mâce, Zühd 4.

[44] Hz. Âişe radıyallahu anhâ anlatıyor: "Resûlullah aleyhissalatu vesselam buyurdular ki: 'Nikah benim sünnetimdendir. Kim benim sünnetimle amel etmezse benden değildir. Evleniniz! Zira ben, diğer ümmetlere karşı siz(in çokluğunuz) ile iftihar edeceğim. Kimin maddî imkânı varsa hemen evlensin. Kim maddî imkân bulamazsa (nafile) oruç tutsun. Çünkü oruç, onun için şehveti kırıcıdır."

[45] Bkz. *Müsned*, V, 252; Tirmizî, Zühd 35; İbn Mâce, Zühd 4.

[46] Nesâî, Cihâd 6.

[47] Ebu Hureyre radıyallahu anh anlatıyor: "Bir adam Peygamber sallallahu aleyhi ve selleme gelip şöyle dedi: 'Ey Allah'ın Resûlü! Kendisine iyilik yapmaya kim daha lâyıktır?' 'Annen.' 'Sonra kim?' 'Annen.' 'Sonra kim?' 'Annen.' 'Peki sonra kim?' 'Baban' buyurdu." Diğer bir rivayette, Peygamber Efendimiz şu cevabı vermiştir: "Annen, sonra annen, sonra baban, sonra yakınlık derecelerine göre diğer akrabaların." Buhârî, Edeb 2, Müslim, Birr 1-4.

[48] Ensar'dan Ebu'd-Derda radıyallahu anh'ın rivayet ettiği bu hadis tam olarak şu şekildedir: "Resûlullah aleyhissalâtu vesselam'ın: 'Baba cennetin orta kapısıdır. Dilersen bu kapıyı terket, dilersen muhafaza et' dediğini işittim." Bkz. Tirmizî, Birr, 3.

[49] Buhârî, Tevhid 50; Müslim, Zikr 2; Tirmizî, Daavât 142.

Ebu Dâvûd ve Tirmizî'de Ebu Hureyre'den gelen bir rivayette de, Resûlullah aleyhissalâtu vesselam'ın şöyle söylediği bildirilmektedir: "Allah Teâlâ hakkında hüsnüzan, güzel ibadettendir." Tirmizî, Daavât 146; Ebu Dâvûd, Edeb 89.

[50] Buhârî, Tevhid 15, 35; Müslim, Zikr 2, Tevbe 1.

[51] İbn Mâce, Ahkâm 27; Tirmizî, Fiten 7.

[52] Ebu Dâvûd, Libas 1; Tirmizî, Libas 29.

[53] *Müsnedü'l-Firdevs*, 4:198; *Fethu'l-Kebîr*, 3:253, Heysemî, *Mecmeu'z-zevâid*, 7:282

[54] Buhârî, Edeb 83; Müslim, Zühd 63; Ebu Dâvûd, Edeb 29; İbn Mâce, Fiten 13.

[55] Hz. Ebu Bekir radıyallahu anh anlatıyor: "Resûlullah buyurdular ki: İstiğfar eden kimse, günde yetmiş kere de tevbesinden dönse, günah-

ta ısrar ediyor sayılmaz." Tirmizî, Daavât 119; Ebu Dâvûd, Salât 361.

[56] Bkz. Zümer sûresi, âyet 53: "Ey nefisleri konusunda haddi aşmış [günahta ileri gitmiş] kullarım! Allah'ın rahmetinden ümit kesmeyiniz. Çünkü Allah, bütün günahları bağışlar. O Gafûr'dur, Rahîm'dir."

[57] "Nefsim elinde bulunan Zât-ı Zülcelâl'e yemin olsun ki, günah işlemediğiniz takdirde ondan daha büyük olan ucb'e [ameline güvenme hatasına] düşeceğinizden korkarım." Münzirî, *et-Terğib ve't-Terhîb*, 4:20.

[58] "Ey insanlar, takat getireceğiniz işleri yapın. Zira siz (dua etmekten) usanmadıkça Allah da sevap yazmaktan usanmaz. Allah'a en hoş gelen amel, az da olsa devamlı olanıdır" (Buhârî, İman 16, Ezân 81, Rikâk 18; Müslim, Salât 283; *Muvatta*, Salâtu'l-Leyl 4; Nesâî, Kıyâmu'l-Leyl 1; Ebu Dâvûd, Salât 317).

Buhârî'nin Ebu Hureyre radıyallahu anh'tan yaptığı bir rivayet ise şöyledir. "[Peygamber Efendimiz] 'Orta yolu tutun, güzele yakın olanı arayın, sabah vaktinde, akşam vaktinde, bir miktar da gecenin son kısmında yürüyün (ibadet edin), ağır ağır hedefe varabilirsiniz. Unutmayın ki sizden hiç kimseye, yaptığı amel, cenneti kazandırmayacaktır' buyurdu. 'Sen de mi (amelinle cennete gidemeyeceksin) ey Allah'ın Resûlü?' dediler. 'Evet, ben de,' dedi. 'Allah affı ve rahmeti ile muamele etmezse, ben de!'" (Buhârî, Rikak 18).

Buhârî ve Nesâî'de gelen bir başka rivayette ise, "Bu din kolaylıktır. Kimse [aşırı gayretle] dini geçmeye çalışmasın, [başa çıkamaz, yine de yapamadığı eksiklikleri kalır ve] galibiyet dinde kalır" buyurulmuştur [Buhârî, İman 29].

[59] Aclûnî, *Keşfü'l-Hafâ*, 1:310; Gazâlî, *İhyâu Ulûmi'd-dîn*, 4:409, (Kitâbü'l-Tefekkür); Heysemî, *Mecmeu'z-Zevâid*, 1:78.

[60] Müslim, Zikr 79; Tirmizî, Daavât 117; Ebu Dâvûd, Salât 359; Nesâî, Sehv 93.

[61] Tirmizi, Daavât 36.

[62] Buhârî, Daavât 65, Eymân 19, Tevhid 58; Müslim, Zikr 31.

[63] Bkz. Buhârî, Edeb 96; Müslim, Birr 165; Ebu Dâvûd, Edeb 122.

[64] Bkz. Tirmizî, Zühd 50.

[65] Ahmed b. Hanbel, *Müsned*, c. 6, s. 436'dan naklen M. Âsım Köksal, *Peygamberler Peygamberi Hz. Muhammed ve İslâmiyet* (İstanbul: Köksal Yayıncılık, 1999), c. 4, s. 48-9.

[66] İbn Sa'd, *Tabakâtü'l-kübrâ*, c. 3, s. 399'dan naklen M. Âsım Köksal, a.g.e., s. 49.

[67] Tirmizî, Daavât 149.

[68] Ebu Dâvûd, Salât 358; Tirmizî, Tefsir 2, Daavât 2; İbn Mâce, Dua 1.

[69] Tirmizî, Tefsir, Gâfir; Ebu Dâvûd, Salât 358.

[70] Ahmed b. Hanbel, *Müsned*, c. 5, s. 418'den naklen M. Âsım Köksal, a.g.e., c. 2, s. 218. Tirmizî'de, aynı hadis "lâ havle ve lâ kuvvete illâ billâh" cümlesi eksik olarak geçmektedir (Tirmizî, Daavât 60). Suyutî ise hadisi şu şekilde vermektedir: "Cennete çok ağaç dikin. Çünkü onun suyu tatlı, toprağı güzeldir. Cennetin ağaçlarından olan 'Lâ havle ve lâ kuvvete illâ billâh' cümlesini çok söyleyin." (*Câmiu's-Sağîr*, 2:89, hadis no: 1413)

[71] Tirmizî, Daavât, 57, 119.

[72] Saîd ibn Müseyyeb'den naklen: "Mal ve oğullar dünya hayatının süsüdür. Ama bâki kalacak faydalı işler, sevap olarak da, emel olarak da Rabbinin katında daha hayırlıdır" (Kehf, 46) âyetinde geçen 'baki kalacak faydalı işler,' kulun sarfedeceği 'Allahuekber,' 'Sübhanallah,' 'Elhamdülillah,' 'Lâilâheillallah,' 'Lâ havle ve lâ kuvvete illâ billâh' sözleridir" (Muvatta, Kur'ân 22).

İbn Ebi Evfa radıyallâhu anh anlatıyor: "Bir adam gelerek: 'Ey Allah'ın Resûlü!' dedi, 'Ben Kur'ân'dan bir parça seçip alamıyorum. Bana kifâyet edecek birşeyi siz bana öğretseniz!' [Peygamber Efendimiz] 'Öyleyse' buyurdu, 'Sübhânallahi velhamdülillahi ve lâ ilâhe illallâhu vallahu ekber ve lâ havle ve lâ kuvvete illâ billâh' de.' 'Ey Allah'ın Resülü!' dedi, 'Bu zikir Allah içindir (O'nu senâdır). Kendim için dua olarak ne söyleyeyim?' 'Şöyle dua et: Allahım! Bana merhamet et, âfiyet ver, hidayet ver, rızık ver!' Adam (dinleyip, kalkınca) ellerini sıkıp göstererek: 'Şöyle (sımsıkı belledim!)' dedi. Resûlullah (aleyhissalâtu vesselam), bunun üzerine: 'İşte bu adam iki elini de hayırla doldurdu' buyurdu." Ebu Dâvûd, Salât 139; Nesâî, İftitâh 32; Hadis Ebu Dâvûd'da tam olarak, Nesâî'de kısmen rivayet edilmiştir.

Yine Ebu Hureyre Hazretleri radıyallâhu anh anlatıyor: "Resûlullah aleyhissalâtu vesselam buyurdular ki: "Lâ havle ve lâ kuvvete illâ billâh" sözünü çok zikredin" (Tirmizî, Daavât 141).

Urve b. Âmir el-Kureşî radıyallahu anh anlatıyor: "Resûlullah aleyhissalâtu vesselamın yanında uğursuzluktan bahsedilmişti. Buyurdular ki: 'Bunun en iyisi fe'l (uğur çıkarma)'dır. (Uğursuzluk inancı) bir müslümanı yolundan alıkoymasın. Biriniz, hoşlanmadığı birşey görecek olursa şu duayı okusun: Allahümme la ye'ti bi'l-hasenâtı illâ ente ve lâ yedfe'u's-seyyiâti illâ ente ve lâ havle ve lâ kuvvete illâ bike [Allahım! Hayrı ancak Sen verebilirsin, kötülüğü de ancak Sen defedebilirsin. Havl ve kuvvet de ancak Sendendir]'" (Ebu Dâvûd, Tıbb 24).

İbn Mâce'nin *Sünen*'inde de şu iki rivayet yer almaktadır: Ebu Zer radıyallahu anh anlatıyor: "Resûlullah aleyhissalâtu vesselam bana: 'Sana cennet hazinelerinden bir hazineyi haber vereyim mi?' buyurdular. "Evet yâ Rasûlallah!" dedim. 'Lâ havle ve lâ kuvvete illa billâh de!' buyurdular."

Hâzım b. Harmele radıyallahu anh anlatıyor: "Resûlullah aleyhissalâtu vesselama uğramıştım. Bana: 'Ey Hâzım! Lâ havle ve lâ kuvvete illâ billâh de! Çünkü bu cümle cennet hazinelerinden biridir' buyurdular."

[73] Beyhakî, *Zühd*; Martin Lings, *Muhammad: his life based on the earliest sources* (Rochester: Inner Traditions International, 1983) s. 327'den naklen. Ayrıca, Tirmizî'de şöyle bir hadis mevcuttur: "Gerçek mücâhid, nefsiyle cihad edendir." Bkz. Tirmizî, Fedâilu'l-Cihâd 2.

[74] Buhârî, İman 16, Edeb 77; Müslim, İman 57, 59; Ebu Dâvûd, Sünnet 14, Tirmizî, Birr 56, 80; Nesâî, İman 16.

[75] Bkz. Buhârî, İman 3; Müslim, İman 37-38; Ebu Dâvûd, Sünnet 15; Tirmizî, İman 6; Nesâî, İman 16; İbn Mâce, Mukaddime 9.

[76] Suyutî, *Câmiu's-Sağîr*, 3:426 (Aynı hadis Ebu Nuaym, *Hilye*; Hâkim, *Müstedrek*; Beyhakî, *Şuabu'l-İman*'da da yer almaktadır.)

[77] Buhârî, Edeb 77; Müslim, İman 60.

[78] İbn Ömer radıyallâhu anh anlatıyor: "Resûlullah aleyhissalâtu vesselam buyurdular ki: 'İnsanlar yalnızlıktaki (mahzuru) benim kadar bilselerdi, hiçbir atlı tek başına bir gececik olsun yol almazdı'" (Buhârî, Cihâd 135; Tirmizî, Cihâd 4). Said b. Müseyyeb rahimehullah anlatıyor: "Resûlullah aleyhissalâtu vesselam buyurdular ki: 'Şeytan tek başına olanla, iki kişi beraber olana sıkıntı verir. Eğer üç kişi olurlarsa onlara sıkıntı veremez'" (Muvatta, İsti'zân 36). Amr b. Şuayb an ebîhî an ceddihî radıyallahu anh tarikinden naklediyor: "Resûlullah aleyhissalâtu vesselam buyurdular ki: 'Bir atlı bir şeytandır, iki atlı iki şeytandır, üç atlı bir gruptur.'" Ebu Dâvûd, Salât 47; Nesâî, İmamet 48.

[79] Bu noktada, 'din günü' ifadesinin geçtiği diğer bir sûreyi, İnfitar sûresinin 17-19. âyetlerini hatırlamak gerekiyor: "Nereden bileceksin, din günü nedir? Yine ne bileceksin, din günü nedir? O, hiç kimsenin kimseye fayda verme gücüne sahip olmadığı bir gündür. O gün, bü-

tün emir ve irade yalnızca Allah'ındır." Dikkatlice düşünürsek; aslında yaşadığımız her günün gerçeği de bu değil midir? Ne var ki, perdelere takılıp kalanlar, perde gerisinde apaçık duran bu gerçeği görememektedir.

[80] el-Aclûnî, *Keşfü'l-Hafâ*, 2:29. (İbn Hacer el-Askalânî, "Senedli, vesikalı bir hadis değil derim" demiş, Ali el-Kârî ise, "Mânâsı doğrudur" demiştir.) Ayrıca bkz.: "Ölüm gelmeden önce ölüme hazırlanın." Taberânî, *Kebîr*, Hâkim, *Müstedrek*, Beyhakî, *Şuabu'l-İman*'dan naklen Suyutî, *Câmiu's-Sağîr*, 1:491.

[81] Buhârî, Edeb 125, 128, Bed'u'l-Halk 11; Müslim, Zühd 56; Ebu Dâvûd, Edeb 97; Tirmizî, Salât 273, Edeb 7.

[82] Ebu Dâvûd, Et'ime 15; İbn Mâce, Et'ime 17.

[83] Belirtmek gerekir ki, gerçekte, 'sûret çarşısı'na dair, iki ayrı kaynaktan gelen iki farklı hadis vardır. Tirmizî'de geçen ve Hz. Ali tarafından rivayet edilen hadise göre: "Resûlullah aleyhissalâtu vesselam buyurdular ki: Cennette bir çarşı vardır. Ancak orada ne alış, ne de satış vardır. Sadece erkek ve kadın sûretleri vardır. Erkek bunlardan bir sûret arzu ederse o sûrete girer" (Tirmizî, Cennet 15). Müslim'de geçen ve Hz. Enes'in rivayet ettiği hadise göre ise: "Resûlullah aleyhissalâtu vesselam buyurdular ki: Cennet ehlinin bir çarşısı vardır. Her Cuma oraya gelirler. Derken kuzey rüzgârı eser, elbiselerini ve yüzlerini okşar. Bunun tesiriyle hüsün ve cemalleri artar. Böylece ailelerine, daha da güzelleşmiş olarak dönerler. Hanımları: 'Vallahi, bizden ayrıldıktan sonra sizin cemal ve güzelliğiniz artmış!' derler. Erkekler de: 'Sizler de, Allah'a kasem olsun, bizden sonra çok daha güzelleşmişsiniz!' derler" (Müslim, Cennet 13).

[84] "Benim için el-Vesîle'yi talep edin. Zira o, cennette bir makamdır ki, mutlaka Allah'ın kullarından birinin olacaktır. Ona sahip olacak kimsenin ben olmamı ümit ediyorum. Kim benim için Allah'tan el-Vesîle'yi talep ederse, şefaat(im) kendisine vâcib olur" (Müslim, Salât 11; Ebu Dâvûd, Salât 36; Nesâî, Ezan 33; Tirmizî, Salât 154; İbn Mâce, Ezân 4).

[85] Hz. Câbir radıyallâhu anh anlatıyor: "Resûlullah (aleyhissalâtu vesselam) buyurdular ki: Ezanı işittiği zaman kim 'Allâhümme rabbe hâzihi'd-da'veti't-tâmme, ve's-salâti'l-kâime, âti [seyyidinâ] Muhammedeni'l-vesîlete ve'l-fadîlete [ve'd-derecete'r-rafîatu'l-âliye], veb'ashu makâmen mahmûdeni'llezî va'adtehu. (Ey bu eksiksiz davetin ve kılınan

namazın sahibi! [Efendimiz] Muhammed'e vesîle'yi, fazileti [ve bütün yaratılmışların üstünde en yüksek dereceyi] ver. Onu va'dettiğin makam-ı Mahmûd üzere dirilt!' derse, ona Kıyâmet günü mutlaka şefaatim helâl olur." Buhârî, Ezân 8; Ebu Dâvûd, Salât 28; Tirmizî, Salât 157; Nesâî, Ezân 38; İbn Mâce, Ezân 4.

[86] Buhârî, Nikah 1; Müslim, Nikâh 5; Nesâî, Nikâh 4.

[87] Buhârî, Cihâd 71; Müslim, Sıyâm 100; Nesâî, Savm 52.

[88] Hadisin tam metni şu şekildedir: "Allah size nimetini arttırıp genişlik verdiği zaman, siz de kendinize genişlik gösterin. Şüphesiz ki Allah, verdiği nimetin eserini kulunun üzerinde görmekten hoşnut olur" (Buhârî, Salât 9; Nesâî, Zekât 40; *Muvatta*, Libâs 3).

İmam Şâtıbî, *el-Muvâfakât*'ında bu bâbda aşağıdaki hadisleri de zikrederek şu yorumda bulunur:

"Acaba kulun, Efendisinin hediyesini kabul etmemesi uygun mudur? Bu ne âdâba, ne de şeriata uygun bir davranıştır. Hediye edenin kasdı, hediyesinin kabulüdür. Yüce Allah'ın kullara olan hediyesi de, onlara in'âmda bulunduğu şeydir; öyleyse onu alsınlar ve şükrünü yerine getirsinler. İbn Ömer ve babasıyla ilgili, yolculuk esnasında namazın kısaltılmasıyla ilgili hadis, bu mânâda gayet açıktır.

Bu hadiste Hz. Peygamber aleyhissalâtu vesselam, 'Bu, Allah'ın size tasadduk eylediği bir sadakadır. Binaenaleyh, siz onun sadakasını kabul edin!' buyurmuşlardır [Müslim, Salâtu'l-müsâfirîn 4]. İbn Ömer'e mevkuf olarak nisbet edilen hadiste de, 'Ne dersin! Sen bir tasaddukta bulunsan da, senin sadakanı kabul etmeyip geri çevirseler, buna kızmaz mısın?' ziyadesi vardır. Başka bir hadiste de, 'Yüce Allah, azimetlerin işlenmesini sevdiği gibi, ruhsatların işlenmesini de sever' [Ahmed b. Hanbel, *Müsned*, 2/108] buyurulmuştur." (bkz. İmam Şâtıbî, *el-Muvâfakât*, çev. Mehmed Erdoğan, İstanbul: İz Yayıncılık, 1990, c. 1, s. 117.]

[89] Şunu belirtelim ki, 'nafile' terimi, ilgili hadisin aslında olmayıp, Türkçe tercümede verilen bir karşılık değildir. Bilakis, bizatihî hadis metninde "*ve mâ yezâlü abdî yetekarrebu ileyye bi'n-nâfili...*" ifadesi yer almaktadır. Bkz. Buhârî, Rikâk 38.

[90] Suyutî, *Câmiu's-Sağîr*, 2:12, hadis no: 1201.

[91] Suyutî, *Câmiu's-Sağîr*, 3:499, hadis no: 4112.

[92] Buhârî, Büyû' 15.

[93] Ebu Dâvûd, Büyû' 79; Nesâî, Büyû' 1; İbn Mâce, Ticârât 1, 64.

[94] Abdullah b. Ömer radıyallahu anhın rivayet ettiği bu hadisin tam metni şudur: "Resûlullah aleyhissalâtu vesselam omuzumdan tuttu ve: 'Sen dünyada bir garib veya bir yolcu gibi ol!' buyurdu." Bu hadisten aldığı derse binaen, İbn Ömer şöyle diyegelmiştir: "Akşama erdin mi, sabahı bekleme; sabaha erdin mi, akşamı bekleme. Sağlıklı olduğun sırada hastalık halin için hazırlık yap. Hayatta iken de ölüm için hazırlık yap." Buhârî, Rikak 2; Tirmizî, Zühd 25.

[95] İbn Mes'ud anlatıyor: "Resûlullah aleyhissalâtu vesselamın yanına girmiştim. Onu bir hasır örgünün üzerinde uyumuş buldum. Hasır, vücudunun açık olan yan taraflarında izler bırakmıştı. 'Yâ Rasûlallah!' dedim. 'Sana bir yaygı temin etsek de hasırın üstüne sersek, onun sertliğine karşı sizi korusa!' 'Ben kim, dünya kim?' dedi. 'Dünya ile benim misalim, bir ağacın altında gölgelenip sonra terkedip giden yolcunun misali gibidir.'" Tirmizî, Zühd 44.

[96] "Peygamberler, baba bir kardeştirler; anaları ayrı, dinleri birdir." Buhârî, Bed'u'l-Halk 64, Enbiyâ 68.

[97] Bkz. Matta, 22:21; Luka, 20:25.

[98] Suyutî, *Câmiu's-Sağîr*, 2:12, hadis no: 1201. Hadis Türkçe'de bu şekilde şöhret bulmuş olmakla birlikte, şu şekilde bir tercüme aslına daha sadık olacaktır: "Hiç ölmeyeceğini zanneden biri gibi [dünya hayatın için] çalış, yarın öleceğinden korkan biri gibi de [ahiretin için] tedbirli ol."

Bazı dünyevî mizaçların bu hadisten 'dünyevîlik,' hatta 'sekülerizm' üretmeye çalışmaları üzücü olduğu gibi, onların hadise yükledikleri bu 'seküler' anlamı reddeden bazı kişilerin bu arada hadisi de redde kalkışmaları da üzücüdür. Oysa, ulemanın çok başarılı bir şekilde formüle ettiği "Dünyayı kesben değil, kalben terketmelidir" ölçüsü, tam da bu hadisin mantığı üzerine müessestir.

[99] el-Aclûnî, *Keşfü'l-Hafâ*, 1:320.

[100] *Muvatta*, Kur'ân 32, Hacc 246; el-Aclûnî, *Keşfü'l-Hafâ*, 1:153.

[101] Tirmizî, İlim 16; Ebu Dâvûd, Sünnet 6.

[102] Abdullah b. Ömer radıyallahu anh anlatıyor: "Resûlullah (aleyhissalâtu vesselam) buyurdular ki: 'Müslüman kişiye, hoşuna giden veya gitmeyen her hususta itaat etmesi gerekir. Ancak, ma'siyet [Allah'a isyan] emredilmişse o hariç. Eğer ma'siyet emredilmişse, dinlemek de yok, itaat de yok'" (Buhârî, Ahkâm 4, Cihâd 108; Müslim, İmâret 38; Tirmizî, Cihâd 29; Ebû Davud, Cihâd 86; Nesâî, Bey'at 34). "Allah'a

isyanda (kula) itaat yok! Taat ma'ruftadır!" Buhârî, Megâzî, 59, Ahkâm, 4, Haberu'l-Vahid 1; Müslim, İmaret 40; Ebu Dâvûd, Cihâd 96; Nesâî, Bey'at 34.

[103] Tirmizî, Birr 35; Ebu Dâvûd, Edeb 12.